Bosnian Language:

101 Bosnian Verbs

BY NEJLA PREDOJEVIĆ

Contents

Verbs in Bosnian Language

The Bosnian language is one of the South Slavic languages of the Indo-European family, along with Serbian and Croatian languages, with which it shares many similarities.

Although written proof of its existence and use date back to the eleventh and twelfth centuries, it was not officially recognized until 1992 when Yugoslavia split, and Bosnia and Herzegovina became independent countries.

The Bosnian language is written in both Latin and Cyrillic scripts, although Latin script is much more commonly used.

Pronunciation of the Bosnian language is simple, but its complex grammar can challenge those who are unfamiliar with inflected languages; for example, nouns in the Bosnian language have seven different cases, similar to those in Latin.

Verbs and verb tenses in the Bosnian language are also much more complex than tenses in English are.

Verb categories

Verbs are words used to describe an action, state of being, or occurrence. Action verbs indicate a conscious activity (to walk, to sing, to write, to build), whereas occurrence verbs are used to express a happening caused by natural forces, something not caused by our will (to get old, to decay, to wither). State of being verbs express existence (to show up, to be).

Verbs are characterized by aspect, transitivity, and voice (diathesis). Aspect and transitivity are lexical-grammar characteristics. Beside these categories, there are person, gender, tense, and number categories of the verbs.

In Bosnian, language aspect is a grammatical category that presents duration of a certain action, state of being, or occurrence. There are perfective and imperfective verbs. Perfective ones have limited duration (to stop, to fall, to blow), whereas imperfective verbs have no time limitation. They can also indicate an action in progress (to walk, to talk, to fly). However, many Bosnian verbs are bi-aspectual (*biti-* to be, *reći-* to say). Both perfective and imperfective verbs in Bosnian can be inflicted by adding prefixes or suffixes, altering them to perfective or imperfective.

For example: *pisati-* (to write) (imperfective); *na + pisati-* (to write in) (perfective)

As in many other languages, verbs in Bosnian can be described as transitive and intransitive. Transitive verbs cannot stand alone; they need a direct object (such as to give (a hand), to read (a book), to drink (tea)). Unlike transitive verbs, intransitive verbs (such as to go, to swim, to fly) do not need a direct object.

When referring to voices, there are two voices in Bosnian: active voice and passive voice. When the subject performs an action, we say that the verb is in active voice (*Merjem čita knjigu.*—Merjem reads a book.). When the subject is the target or it undergoes the action, the verb is in passive voice. (*Dječak je pregledan.*—The boy was examined.)

There are three grammatical persons in Bosnian, and depending on the tense, a different ending is added to the infinitive stem of the verb to indicate a person.

Example: *čitati*- (to read)

1.	Ja čita-m	1.	Mi čita-mo
2.	Ti čita-š	2.	Vi čita-te
3.	On čita	3.	Oni čita-ju

There are three genders in Bosnian: male (*čovjek*—man, *tepih*—carpet), female (*žena*—woman, *knjiga*—book, *jabuka*—apple), and neutral (*dijete*—child, *jaje*—egg).

In many languages, including Bosnian, the number categories are singular and plural.

Verb forms

Depending on their role in a sentence, verbs can take different forms. Verb forms can be used to express tense, mood, verbal adjectives (active, passive), and the transgressive category.

Verb tenses are past, present, and future, so we can distinguish verb forms used for expressing

- Present tense
- Past tenses:
    - Aorist (past perfective tense)
    - Imperfect (past imperfective tense)
    - Perfect (past simple tense)
    - Pluperfect (past tense used to refer to something that happened earlier than the time considered, when the time considered is already in the past)
- Future tenses:
    - Future I (future tense)
    - Future II (pre-future tense)

We distinguish two verb moods in Bosnian: imperative mood (command form) and conditional mood. Verbal adjective active is used to form all complex active stated verb forms (with the exception of Future I), and the verbal adjective passive is used to form all complex passive stated verb forms.

Transgressive forms, also called verbal adverbs, are simple forms, and they can have only one, unchangeable form.

Verb stem

Verbs in Bosnian consist of two parts: verb stem (the unchangeable part of the verb) and the endings. The endings in Bosnian can also consist of two morphemes:

1. The **flectional** endings that indicate the person and number
   Example: -m in *piše-m* (I write)
   Then, gender and number
   Example: -a, -o, -i in *pisal-a* (she was writing), *pisal-o* (it (child) was writing), *pisal-i* (they were writing)
2. The **flectional** endings that indicate gender, number, and case
   Example, *pisan-oj* ((to the written) it indicates female, singular, and dative case))

Verbs often have two different verb stems: (1) the infinitive and (2) the present tense stem.

By adding different endings to the infinitive stem, we produce present tense, infinitive, aorist, active verbal adjective, and past transgressive.

By adding different endings to the present stem, we form present tense, imperative, and present transgressive.

By adding endings to infinitive and present stems, we get imperfective and passive verbal adjective.

1. The infinitive stem of most verbs is produced by omitting the infinitive ending -ti, but it is most clearly defined in the first person singular of the aorist tense (which is why it is also called the infinitive-aorist stem). This stem is produced by omitting the endings -h or -oh.

1. Person, singular, aorist	Infinitive stem +	Ending =	Infinitive
Pjevah < pjeva- + -h	Pjeva-	-ti	Pjevati (to sing)
Trčah < trča- + -h	Trča-	-ti	Trčati (to run)
Radih < radi- + -h	Radi-	-ti	Raditi (to work)
Mirisah< mirisa- +h	Mirisa-	-ti	Mirisati (to smell)
Suših < suši- +h	Suši-	-ti	Sušiti (to dry)

2. Present stem is produced from third person plural after omitting the ending -u, -e, or -ju.

Third person plural; first, second, and third person plural	Present stem	Infinitive
Sade< sad- + -e; sad-im, sad-iš, sad-e	Sad-	Saditi (to plant)
Pjevaju< pjeva- + -ju; pjev-am, pjeva-aš, pjeva	Pjev-	Pjevati (to sing)
Vežu<vež- + -u; vež-em, vež-eš, vež-e	Vež-	Vezati(to tie)

Verb conjugation

It is possible to classify verbs, not only by the meaning, but also by morphological criteria: by the ending of the infinitive stem and by the ending of the present stem.

In Bosnian, there are three types of verbs, and they are classified based on the endings they get to form present tense.

1. In present tense, the verbs of first type can have these endings:
   -m, -š, -Ø; -mo, -te, -ju; for example, *pjevati* (to sing) *pjeva-m, pjeva-š, pjeva-Ø, pjeva-mo, pjeva-te, pjeva-ju.*
   These types of verbs, such as *bacati* (to throw), *čekati* (to wait), *imati* (to have), and *studirati* (to study), whose both infinitive and present stem end in a vowel -a are also called **type a** verbs.

2. When forming present tense, the verbs of this type have the endings -em, -eš, -e, -emo, -ete, or -u. These types of verbs are also called **e type.**

   The e type can be further divided into five different classes:
   a) In the first class, we can find verbs such as *tresti* (to shake), for which both present and infinitive stems end in a consonant (tres-).

b) In the second class are verbs such as *pisati*, whose infinitive stem ends in the vowel a, and its present stem ends in a consonant (pisa-).

c) In the third class are the verbs whose infinitive stem ends in the vowel u, and its present stem ends in a consonant, such as the verb *isbrinuti* (to worry).

d) In the fourth class are the verbs such as *čuti* (to hear) and *piti* (to drink), with the infinitive stem ending in -a, -u, -i, or -je and its present stem ending in (-ču, -pij).

e) In the fifth class are the verbs whose infinitive stem ends in -a and whose present stem ends in consonant -j, such as *darovati* (to give), *darova-*, and *daruj*.

3. To form the present tense verbs of the third type, we use the endings -im, -iš, -i, -imo, -ite, and -e (*vidjeti* (to see), *voljeti* (to love), *braniti* (to defend)). This type is also known as **type i**. It can also be divided into two classes:

a) In the first class are verbs such as *kositi* (to mow) and *vidjeti* (to see) whose infinitive stem ends in -i or -e, and its present stem ends in a consonant *kosi, vidje*.

b) In the second class, there are verbs such as *držati* (to hold), with the infinitive ending in -a, and the present stem ending in a consonant (*drža-*).

4. The fourth type of verbs is the auxiliary verbs (*jesam; biti*, (to be); *htjeti* (to want)) and the verbs that do not follow the usual conjugation pattern. The auxiliary verbs are used to form complex verb forms and tenses (perfect, pluperfect, future I, future II, and conditional). Short clitic form can never stand independently or at the beginning of the sentence.

The auxiliary verb *biti* (to be) has long and short (clitic) forms:

Long form:

	Singular	Plural
1. person	jesam	jesmo
2. person	jesi	jeste
3. person	Jest(e)	jesu

Short (clitic) form:

	Singular	Plural
1. person	sam	smo
2. person	si	ste
3. person	je	su

Negative form of the verb *to be* is also irregular:

	Singular	Plural
1. person	nisam	nismo
2. person	nisi	niste
3. person	nije	nisu

The auxiliary verb *htjeti* (to want) is also an irregular verb, and just like the verb *biti* (to be), it has both long and short forms. Short (clitic) forms of the auxiliary verb *htjeti* are used to form future I. Long form of the verb *htjeti* (to want):

	Singular	Plural
1. person	hoću	hoćemo
2. person	hoćeš	hoćete
3. person	hoće	hoće

Present tense of the verb *htjeti* (clitic form):

	Singular	Plural
1. person	ću	ćemo
2. person	ćeš	ćete
3. person	će	će

Negative form of the verb *htjeti* (present tense):

	Singular	Plural
1. person	neću	nećemo
2. person	nećeš	nećete
3. person	neće	neće

Verb tenses in Bosnian

Infinitive is the basic form of the verb. In Bosnian, there are verbs with infinitives ending in -ti (*hodati* (to walk), *čitati* (to read), *pisati* (to write), *trebati* (to need)), and there are verbs that end in the morpheme -ći (*ići* (to go), *vući* (to pull)). This form is used only to indicate a certain action. *Ne želim vas slušati.* (I don't want to listen to you.)

Present tense is used to indicate an action, state of being, or occurrence happening at the moment or regularly. Present tense can also be used to describe an action that happened before the moment it was discussed; it can indicate an action that will happen in the near future. *Škola počinje sutra.* (School starts tomorrow.). Present tense can also be used to indicate regular actions, habits, or things that happen every day; *Ja plivam svaki dan.* (I swim every day.)

Aorist is a tense used to describe an action that happened in the past and that lasted for a limited time in the past. *Padoh na glavu.* (I fell on my head.) It is formed from perfective verbs. Now, aorist is used almost exclusively in literary language, replaced by perfect tense in spoken language.

Imperfect, unlike aorist, is formed from imperfective verbs, and it serves to indicate actions that lasted for unlimited time in the past. *Proljeća su stizala kasno.* (Spring was arriving late.) Just as aorist now, it is used only in literary language, replaced by perfect.

Perfect is a tense that indicates an action that happened in the past. *Igrali smo košarku.* (We played basketball.) In Bosnian, perfect tense is formed from the clitic form of the auxiliary verb *jesam* (to be) and the past participle adjective. *Čitala sam knjigu.* (I was reading a book, or I read a book.)

Pluperfect is a tense that expresses some action that happened before or after another related action in the past. *Kad sam slušala vijesti bila sam se jako naljutila.* (I was very angry when I was listening to the news.) Pluferfect is formed from the imperfect or perfect tense of the auxiliary verb *biti* (to be) and a past participle adjective.

Perfect tense of the auxiliary verb *biti*- to be:

	Singular, male, female, neutral	Plural
1. person	Bio sam, bila sam	Bili smo, Bile smo
2. person	Bio si, Bila si	Bili ste, Bile ste
3. person	Bio je, Bila je, Bilo je	Bili su, Bile su, Bila su

Future I is used to describe an action that will happen in the future. *Sutra ću ići u školu.* (I will go to school tomorrow.) Future I is formed from the clitic form of the auxiliary verb *htjeti* (to want) and the infinitive. *Ja ću čitati.* (I will read.) When used in this way, *htjeti* does not mean, "to want"; instead, it carries only the meaning of future.

FutureII or the exact future is used in subordinate sentences after conjugation, suggesting future completion of some other sort. *Kad bude završio posao, ići ćemo u restoran.* (When he finishes the work, we will go to the restaurant). It is almost exclusively formed from the imperfective aspect of the auxiliary verb *biti*- (to be) in present tense:

	Singular	Plural
1. person	Budem	Budemo
2. person	Budeš	Budete
3. person	Bude	Budu

Imperative is used to command someone. *Donesi mi vode*! (Bring me some water!) Imperative is formed from the present tense verb stem for 3rd person plural + endings -*j/i* (second person singular), -*te* (second person plural), or -mo (first person plural):

	Singular	Plural
1. person	/	Čitajmo (let's read)
2. person	Čitaj (read), idi(go)	Čitajte (read)
3. person	/	

Conditional I. The main purpose of the conditional is to express the possibility or desire. *Pojela bih malo hrane.* (I would eat some food.) It is formed from the aorist simple form of *biti* + past participle.

Example: Conditional I of the verb *činiti* (to do):

	Singular	Plural
1. person	Činio bih	Činili bismo
2. person	Činio bi	Činili biste
3. person	Činio bi	Činili bi

Conditional II is used to express possibility. It is formed from the conditional I of the verb "to be" and the past participle.

Example: Conditional II of the verb *pisati* (to write):

	Singular	Plural
1. person	Bio bih pisao	Bili bismo pisali
2. person	Bio bi pisao	Bili biste pisali
3. person	Bio bi pisao	Bili bi pisali

1. To accept (Prihvatiti) – Pree-hvah-tee-tee

Present tense (sadašnje vrijeme)	Aorist tense (Aorist)	Imperfect tense (Imperfekt)
Ja prihvatim	Ja prihvatih	Ja prihvatah
Ti prihvatiš	Ti prihvati	Ti prihvataše
On/ ona/ono prihvati	On/ona/ono prihvati	On/ona/ono prihvataše
Mi prihvatimo	Mi prihvatismo	Mi prihvatasmo
Vi prihvatite	Vi prihvatiste	Vi prihvataste
Oni prihvate	Oni prihvatiše	Oni prihvatahu

Past tense (Perfekt)	Pluperfect (Pluskvamperfekat)	Future tense (Futur I)
Ja sam prihvatio/prihvatila	Ja sam bio prihvatio/bila prihvatila	Ja ću prihvatiti
Ti si prihvatio/prihvatila	Ti si bio prihvatio/bila prihvatila	Ti ćeš prihvatiti
On je prihvatio	On je bio prihvatio	On/ona/ono će prihvatiti
Ona jeprihvatila	Ona je bila prihvatila	Mi ćemo prihvatiti
Ono je prihvatilo	Ono je bilo prihvatilo	Vi ćete prihvatiti
Mi smo prihvatili	Mi smo bili prihvatili	Oni/one će prihvatiti
Vi ste prihvatili	Vi ste bili prihvatili	
Oni su prihvatili	Oni/one su bili prihvatili/prihvatile	

Future tense (Futur II)	Imperative (imperativ)	Conditional I (Potencijal I)
Budem prihvatio/prihvatila	--------	Ja bih prihvatio/prihvatila
Budeš prihvatio/prihvatila	Prihvati	Ti bi prihvatio/prihvatila
Bude prihvatio/ prihvatila/ prihvatilo	---------	On bi prihvatio
Budemo prihvatili	Prihvatimo	Ona bi prihvatila
Budete prihvatili	Prihvatite	Ono bi prihvatilo
Budu prihvatili/prihvatile	---------	Mi bismo prihvatili
		Vi biste prihvatili
		Oni/one bi prihvatili/prihvatile

Conditional II (Potencijal II)	
Ja bih bio prihvatio/prihvatila	Mi bismo bili prihvatili
Ti bi bio prihvatio/prihvatila	Vi biste bili prihvatili
On bi bio prihvatio	Oni bi bili prihvatili
Ona bi bila prihvatila	One bi bile prihvatile
Ono bi bilo prihvatilo	Ona bi bila prihvatila

Verbal adjective active	Male	Female	Neutral
Singular	prihvatio	prihvatila	prihvatilo
Plural	prihvatili	prihvatile	prihvatila

Verbal adjective passive	Male	Female	Neutral
Singular	prihvaćen	prihvaćena	prihvaćeno
Plural	prihvaćeni	prihvaćene	prihvaćena

Transgressive (Present Verbal adverb)	Prihvatajući
Transgressive (Past Verbal adverb)	Prihvativši
Verbal noun	Prihvatanje

Perfective aspect of the verb	Prihvatiti	Pree-hvah-tee-tee
Imperfective aspect of the verb	Prihvatati	Pree-hvah-tah-tee

2. To admit (Priznati) – Pree-znah-tee

Present tense (sadašnje vrijeme)	Aorist tense (Aorist)	Imperfect tense (Imperfekt)
Ja priznajem	Ja priznah	Ja priznavah
Ti priznaješ	Ti prizna	Ti priznavaše
On ona/ono priznaje	On/ona/ono prizna	On/ona/ono priznavaše
Mi priznajemo	Mi priznasmo	Mi priznavasmo
Vi priznajete	Vi priznaste	Vi priznavaste
Oni/one priznaju	Oni/one priznaše	Oni/one priznavahu

Past tense (Perfekt)	Pluperfect (Pluskvamperfekat)	Future tense (Futur I)
Ja sam priznao/priznala	Ja sam bio priznao/bila priznala	Ja ću priznati
Ti si priznao/priznala	Ti si bio priznao/bila priznala	Ti ćeš priznati
On je priznao	On je bio priznao	On/ona/ono će priznati
Ona je priznala	Ona je bila priznala	Mi ćemo priznati
Ono je priznalo	Ono je bilo priznalo	Vi ćete priznati
Mi smo priznali	Mi smo bili priznali	Oni/one će priznati
Vi ste priznali	Vi ste bili priznali	
Oni su priznali/ One su priznale	Onisu bili priznali	
	One su bile priznale	

Future tense (Futur II)	Imperative (imperativ)	Conditional I (Potencijal I)
Budem priznao/priznala	------------	Ja bih priznao/priznala
Budeš priznao/priznala	Priznaj	Ti bi priznao/priznala
Bude priznao/priznala/priznalo	------------	On/ona/ono bi priznao/priznala/priznalo
Budemo priznali	Priznajmo	Mi bismo priznali
Budete priznali	Priznajte	Vi biste priznali
Budu priznali/priznale	------------	Oni/one bi priznali/priznale

Conditional II (Potencijal II)	
Ja bih bio priznao/priznala	Mi bismo bili priznali
Ti bi bio priznao/priznala	Vi biste bili priznali
On bi bio priznao	Oni bi bili priznali
Ona bi bila priznala	One bi bile priznale
Ono bi bilo priznalo	Ona bi bila priznala

Verbal adjective active	Male	Female	Neutral
Singular	priznao	priznala	priznalo
Plural	priznali	priznale	priznala

Verbal adjective passive	Male	Female	Neutral
Singular	priznat	priznata	priznato
Plural	priznati	priznate	priznata

Transgressive (Present Verbal adverb)	priznajući
Transgressive (Past Verbal adverb)	priznavši
Verbal noun	priznavanje

Perfective aspect of the verb	Priznati	Pree-znah-tee
Imperfective aspect of the verb	Priznavati	Pree-znah-vah-tee

3. To answer (Odgovoriti)- Od-goh-voh-ree-tee

Present tense (sadašnje vrijeme)	Aorist tense (Aorist)	Imperfect tense (Imperfekt)
Ja odgovorim	Ja odgovorih	Ja odgovarah
Ti odgovoriš	Ti odgovori	Ti odgovaraše
On/ona/ono odgovori	On/ona/ono odgovori	On/ona/ono odgovaraše
Mi odgovorimo	Mi odgovorismo	Mi odgovarasmo
Vi odgovorite	Vi odgovoriste	Vi odgovaraste
Oni/one odgovore	Oni/one odgovoriše	Oni/one odgovarahu
Past tense (Perfekt)	**Pluperfect (Pluskvamperfekat)**	**Future tense (Futur I)**
Ja sam odgovorio/odgovorila	Ja sam bio odgovorio/bila odgovorila	Ja ću odgovoriti
Ti si odgovorio/odgovorila	Ti si bio odgovorio/bila odgovorila	Ti ćeš odgovoriti
On je odgovorio	On je bio odgovorio	On/ona/ono će odgovoriti
Ona je odgovorila	Ona je bila odgovorila	Mi ćemo odgovoriti
Ono je odgovorilo	Ono je bilo odgovorilo	Vi ćete odgovoriti
Mi smo odgovorili	Mi smo bili odgovorili	Oni/one će odgovoriti
Vi ste odgovorili	Vi ste bili odgovorili	
Oni/ one su odgovorili/odgovorile	Oni/one su bili/ bileodgovorili/odgovorile	
Future tense (Futur II)	**Imperative (imperativ)**	**Conditional I (Potencijal I)**
Budem odgovorio/odgovorila	------------	Ja bih odgovorio/odgovorila
Budeš odgovorio/odgovorila	Odgovori	Ti bi odgovorio/odgovorila
Bude odgovorio/ odgovorila/odgovorio	------------	On/Ona/ono bi odgovorio/ odgovorila/odgovorilo
Budemo odgovorili	Odgovorimo	Mi bismo odgovorili
Budete odgovorili	Odgovorite	Vi biste odgovorili
Budu odgovorilii/odgovorile	------------	Oni/One bi odgovorili/odgovorile

Conditional II (Potencijal II)	
Ja bih bio odgovorio/odgovorila	Mi bismo bili odgovorili
Ti bi bio odgovorio/odgovorila	Vi biste bili odgovorili
On bi bio odgovorio	Oni bi bili odgovorili
Ona bi bila odgovorila	One bi bile odgovorile
Ono bi bilo odgovorilo	Ona bi bila odgovorila

Verbal adjective active	Male	Female	Neutral
Singular	odgovorio	odgovorila	odgovorilo
Plural	odgovorili	odgovorile	odgovorila

Verbal adjective passive	Male	Female	Neutral
Singular	odgovoren	odgovorena	odgovoreno
Plural	odgovoreni	odgovorene	odgovorena

Transgressive (Present Verbal adverb)	Odgovarajući
Transgressive (Past Verbal adverb)	Odgovorivši
Verbal noun	Odgovaranje

Perfective aspect of the verb	Odgovoriti	Od-goh-voh-ree-tee
Imperfective aspect of the verb	Odgovarati	Od-goh-vah-rah-tee

4. To appear (Pojaviti se)- Poh-yah-vee-tee seh

Present tense (sadašnje vrijeme)	Aorist tense (Aorist)	Imperfect tense (Imperfekt)
Ja se pojavim	Ja se pojavih	Ja se pojavljivah
Ti se pojaviš	Ti se pojavi	Ti se pojavljivaše
On/ona/ono se pojavi	On/ona/ono se pojavi	On/ona/ono se pojavljivaše
Mi se pojavimo	Mi se pojavismo	Mi se pojavljivasmo
Vi se pojavite	Vi se pojaviste	Vi se pojavljivaste
Oni/one se pojave	Oni/one se pojaviše	Oni/one pojavljivahu
Past tense (Perfekt)	**Pluperfect (Pluskvamperfekat)**	**Future tense (Futur I)**
Ja sam se pojavio/pojavila	Ja sam se bio pojavio/bila pojavila	Ja ću se pojaviti
Ti si se pojavio/pojavila	Ti si se bio pojavio/bila pojavila	Ti ćeš se pojaviti
On se pojavio	On se bio pojavio	On/ona/ono će se pojaviti
Ona sepojavila	Ona se bila pojavila	Mi ćemo se pojaviti
Ono se pojavilo	Ono se bilo pojavilo	Vi ćete se pojaviti
Mi smo se pojavili	Mi smo se bili pojavili	Oni/one će se pojaviti
Vi ste se pojavili	Vi ste se bili pojavili	
Oni/one su se pojavili/pojavile	Oni/one su se bili pojavili/pojavile	
Future tense (Futur II)	**Imperative (imperativ)**	**Conditional I (Potencijal I)**
Budem se pojavio/pojavila	------------	Ja bih se pojavio/pojavila
Budeš se pojavio/pojavila	Pojavi se	Ti bi se pojavio/pojavila
Bude se pojavio/pojavila/pojavilo	------------	On/Ona/ono bi se pojavio/pojavila/pojavilo
Budemo se pojavili	Pojavimo se	Mi bismo se pojavili
Budete se pojavili	Pojavite se	Vi biste se pojavili
Budu se pojavili/pojavile	------------	Oni/One bi se pojavili/pojavile

Conditional II (Potencijal II)	
Ja bih se bio pojavio/pojavila	Mi bismose bili pojavili
Ti bi se bio pojavio/pojavila	Vi biste se bili pojavili
On bi se bio pojavio	Oni bi se bili pojavili
Ona bi se bila pojavila	One bi se bile pojavile
Ono bi se bilo pojavilo	Ona bi se bila pojavila

Verbal adjective active	Male	Female	Neutral
Singular	Pojavio se	Pojavila se	Pojavilo se
Plural	Pojavili se	Pojavile se	Pojavila se

Verbal adjective passive	Male	Female	Neutral
Singular	pojavljen	pojavljena	pojavljeno
Plural	pojavljeni	pojavljene	pojavljena

Transgressive (Present Verbal adverb)	Pojavljujući
Transgressive (Past Verbal adverb)	Pojavivši
Verbal Noun	Pojavljivanje

Perfective aspect of the verb	Pojaviti se	Poh-yah-vee-tee seh
Imperfective aspect of the verb	Pojavljivati se	Poh-yah-lyee-vah-tee seh

5. To ask (pitati) – Pee-tah-tee

Present tense (sadašnje vrijeme)	Aorist tense (Aorist)	Imperfect tense (Imperfekt)
Ja pitam	Ja pitah	Ja pitah
Ti pitaš	Ti pita	Ti pitaše
On/ona/ono pita	On/ona/ono pita	On/ona/ono pitaše
Mi pitamo	Mi pitasmo	Mi pitasmo
Vi pitate	Vi pitaste	Vi pitaste
Oni/one pitaju	Oni/one pitaše	Oni/one pitahu

Past tense (Perfekt)	Pluperfect (Pluskvamperfekat)	Future tense (Futur I)
Ja sam pitao/pitala	Ja sam bio pitao/bila pitala	Ja ću pitati
Ti si pitao/pitala	Ti si bio pitao/bila pitala	Ti ćeš pitati
Onjepitao	On je bio pitao	On/ ona/ ono će pitati
Ona je pitala	Ona je bila pitala	Mi ćemo pitati
Ono je pitalo	Ono je bilo pitalo	Vi ćete pitati
Mi smo pitali	Mi smo bilipitali	Oni/ one će pitati
Vi ste pitali	Vi ste bili pitali	
Oni/one su pitali/pitale	Oni su bili pitali	
	One su bile pitale	

Future tense (Futur II)	Imperative (imperativ)	Conditional I (Potencijal I)
Budem pitao/pitala	------------	Ja bih pitao/pitala
Budeš pitao/pitala	Pitaj	Ti bi pitao/pitala
Bude pitao/pitala/pitalo	------------	On/Ona/ono bi pitao/pitala/pitalo
Budemo pitali	Pitajmo	Mi bismo pitali
Budete pitali	Pitajte	Vi biste pitali
Budu pitali/pitale	------------	Oni/One bi pitali/pitale

Conditional II (Potencijal II)	
Ja bih bio pitao/pitala	Mi bismobili pitali
Ti bi bio pitao/pitala	Vi biste bili pitali
On bi bio pitao	Oni bibili pitali
Ona bi bila pitala	One bibile pitale
Ono bi bilo pitalo	Ona bi bila pitala

Verbal adjective active	Male	Female	Neutral
Singular	Pitao	Pitala	Pitalo
Plural	Pitali	Pitale	Pitala

Verbal adjective passive	Male	Female	Neutral
Singular	pitan	pitana	pitano
Plural	pitani	pitane	pitana

Transgressive (Present Verbal adverb)	Pitajući
Transgressive (Past Verbal adverb)	Pitavši
Verbal noun	Pitanje

Perfective aspect of the verb	------------	------------
Imperfective aspect of the verb	Pitati	Pee-tah-tee

6. To be (biti) - Bee- tee

Present tense (sadašnje vrijeme)	Aorist tense (Aorist)	Imperfect tense (Imperfekt)
Ja sam/budem	Ja bih	Ja bijah
Ti si/budeš	Ti bi	Ti bijaše
On/ ona/ ono je/bude	On/ ona/ ono bi	On/ ona/ ono bijaše
Mi smo/budemo	Mi bismo	Mi bijasmo
Vi ste/budete	Vi biste	Vi bijaste
Oni/one su/budu	Oni/one biše	Oni/ one bijahu
Past tense (Perfekt)	**Pluperfect (Pluskvamperfekat)**	**Future tense (Futur I)**
Ja sam bio	Ja bijah bio/bila	Ja ću biti
Ti si bio	Ti bijaše bio/bila	Ti ćeš biti
On je bio	Onbijaše bio	On/ ona/ ono ćebiti
Ona je bila	Ona bijaše bila	Mi ćemo biti
Ono je bilo	Ono bijaše bilo	Vi ćete biti
Mi smo bili	Mi bijasmo bili	Oni/ one će biti
Vi ste bili	Vi bijaste bili	
Oni/ one subili/bile	Oni bijahu bili	
	One bijahu bile	
Future tense (Futur II)	**Imperative (imperativ)**	**Conditional I (Potencijal I)**
Budem bio/bila	------------	Ja bih bio/bila
Budeš bio/bila	Budi	Ti bi bio/bila
Bude bio/bila/bilo	------------	On/Ona/ono bi bio/bila/bilo
Budemo bili	Budimo	Mi bismo bili
Budete bili	Budite	Vi biste bili
Budu bili/bile	------------	Oni/one bi bili/bile

Conditional II (Potencijal II)	
Ja bih bio bio/bila	Mi bismo bili bili
Ti bi bio bio/bila	Vi biste bili bili
On bi bio bio	Oni bibili bili
Ona bi bila bila	One bi bile bile
Ono bi bilo bilo	Ona bi bila bila

Verbal adjective active	Male	Female	Neutral
Singular	Bio	Bila	Bilo
Plural	bili	Bile	Bila

Verbal adjective passive	Male	Female	Neutral
Singular	------	-------	--------
Plural	-------	-------	--------

Transgressive (Present Verbal adverb)	Budući
Transgressive (Past Verbal adverb)	Bivši
Verbal noun	-------

Perfective aspect of the verb	Biti	Bee-tee
Imperfective aspect of the verb	Biti	Bee-tee

7. To be able to (Moći)- Moh-tchee

Present tense (sadašnje vrijeme)	Aorist tense (Aorist)	Imperfect tense (Imperfekt)
Ja mogu	Ja mogoh	Ja mogah
Ti možeš	Ti može	Ti mogaše
On/ ona/ ono može	On/ ona/ ono može	On/ ona/ ono mogaše
Mi možemo	Mi mogosmo	Mi mogasmo
Vi možete	Vi mogoste	Vi mogaste
Oni/one mogu	Oni/one mogoše	Oni/ one mogahu
Past tense (Perfekt)	**Pluperfect (Pluskvamperfekat)**	**Future tense (Futur I)**
Ja sam mogao/mogla	Ja sam bio mogao/mogla	Ja ću moći
Ti si mogao/mogla	Ti si biomogao/mogla	Ti ćeš moći
On je mogao	On je bio mogao	On/ ona/ ono će moći
Ona je mogla	Ona je bila mogla	Mi ćemo moći
Ono je moglo	Ono je bilo moglo	Vi ćete moći
Mi smo mogli	Mi smo bili mogli	Oni/ one će moći
Vi ste mogli	Vi ste bili mogli	
Oni su mogli /One su mogle	Oni su bili mogli/One su bile mogle	
Future tense (Futur II)	**Imperative (imperativ)**	**Conditional I (Potencijal I)**
Budem mogao/mogla	------------	Ja bih mogao/mogla
Budeš mogao/mogla	Mogni	Ti bi mogao/mogla
Bude mogao/mogla/moglo	------------	On bi mogao/Ona bi mogla/Ono bi moglo
Budemo mogli	Mognimo	Mi bismo mogli
Budete mogli	Mognite	Vi biste mogli
Budu mogli/mogle	------------	Oni bi mogli/One bi mogle

Conditional II (Potencijal II)	
Ja bih bio mogao/mogla	Mi bismobili mogli
Ti bi bio mogao/mogla	Vi biste bili mogli
On bi bio mogao	Oni bibili mogli
Ona bi bila mogla	One bibile mogle
Ono bi bilo moglo	Ona bi bila mogla

Verbal adjective active	Male	Female	Neutral
Singular	Mogao	Mogla	Moglo
Plural	Mogli	Mogle	Mogla

Verbal adjective passive	Male	Female	Neutral
Singular	Moguć	Moguća	Moguće
Plural	Mogući	Moguće	Moguća

Transgressive (Present Verbal adverb)	Mogući
Transgressive (Past Verbal adverb)	Mogavši
Verbal noun	-------------

Perfective aspect of the verb	Moći	Moh-tchee
Imperfective aspect of the verb	Moći	Moh-tchee

8. To become (Postati)- Poh- stah-tee

Present tense (sadašnje vrijeme)	Aorist tense (Aorist)	Imperfect tense (Imperfekt)
Ja postajem	Ja postah	Ja postah
Ti postaješ	Ti posta	Ti postaše
On/ ona/ ono postaje	On/ona/ono posta	On/ ona/ ono postaše
Mi postajemo	Mi postasmo	Mi postasmo
Vi postajete	Vi postaste	Vi postaste
Oni/one postaju	Oni/one postaše	Oni/ one postahu

Past tense (Perfekt)	Pluperfect (Pluskvamperfekat)	Future tense (Futur I)
Ja sam postao/postala	Ja sam bio postao/postala	Ja ću postati
Ti si postao/postala	Ti si bio postao/postala	Ti ćeš postati
On je postao	On je bio postao	On/ona/ono će postati
Ona je postala	Ona je bila postala	Mi ćemo postati
Ono je postalo	Ono je bilo postalo	Vi ćete postati
Mi smo postali	Mi smo bili postali	Oni/ one će postati
Vi ste postali	Vi ste bili postali	
Oni su postale/ One su postale	Oni su bili postali/One su bile postale	

Future tense (Futur II)	Imperative (imperativ)	Conditional I (Potencijal I)
Budem postao/postala	------------	Ja bih postao/postala
Budeš postao/postala	Postani	Ti bi postao/postala
Bude postao/postala/postal	------------	On bi postao/Ona bi postala/Ono bi postalo
Budemo postali	Postanimo	Mi bismo postali
Budete postali	Postanite	Vi biste postali
Budu postali/postale	------------	Oni bi postali/One bi postale

Conditional II (Potencijal II)	
Ja bih bio postao/postala	Mi bismobili postali
Ti bi bio postao/postala	Vi biste bili postali
On bi bio postao	Oni bibili postali
Ona bi bila postala	One bibile postale
Ono bi bilo postalo	Ona bi bila postala

Verbal adjective active	Male	Female	Neutral
Singular	Postao	Postala	Postalo
Plural	Postali	Postale	Postala

Verbal adjective passive	Male	Female	Neutral
Singular	------	-------	-------
Plural	------	-------	-------

Transgressive (Present Verbal adverb)	Postajući
Transgressive (Past Verbal adverb)	Postavši
Verbal noun	Postajanje

Perfective aspect of the verb	Postati	Pos-tah-tee
Imperfective aspect of the verb	Postajati	Pos-tah-yah-tee

9. To begin (Početi)- Poh-tcheh-tee

Present tense (sadašnje vrijeme)	Aorist tense (Aorist)	Imperfect tense (Imperfekt)
Ja počnem/počinjem	Ja počeh	Ja počinjah
Ti počneš/počinješ	Ti poče	Ti počinjaše
On/ ona/ ono počne/počinje	On/ona/ono poče	On/ ona/ ono počinjaše
Mi počnemo/počinjemo	Mi počesmo	Mi počinjasmo
Vi počnete/počinjete	Vi počeste	Vi počinjaste
Oni/one počnu/počinju	Oni/one počeše	Oni/ one počinjahu
Past tense (Perfekt)	**Pluperfect (Pluskvamperfekat)**	**Future tense (Futur I)**
Ja sam počeo/počela	Ja sam bio počeo/počela	Ja ću početi
Ti si počeo/počela	Ti si bio počeo/počela	Ti ćeš početi
On je počeo	On je bio počeo	On/ona/ono će početi
Ona je počela	Ona je bila počela	Mi ćemo početi
Ono je počelo	Ono je bilo počelo	Vi ćete početi
Mi smo počeli	Mi smo bili počeli	Oni/ one će početi
Vi ste počeli	Vi ste bili počeli	
Oni su počeli/ One su počele	Oni su bili počeli/One su bile počele	
Future tense (Futur II)	**Imperative (imperativ)**	**Conditional I (Potencijal I)**
Budem počeo/počela	-------------	Ja bih počeo/počela
Budeš počeo/počela	Počni	Ti bi počeo/počela
Bude počeo/počela/počelo	------------	On bi počeo/Ona bi počela/Ono bi počelo
Budemo počeli	Počnimo	Mi bismo počeli
Budete počeli	Počnite	Vi biste počeli
Budu počeli/počele	-------------	Oni bi počeli/One bi počele

Conditional II (Potencijal II)	
Ja bih bio počeo/počela	Mi bismobili počeli
Ti bi bio počeo/počela	Vi biste bili počeli
On bi bio počeo	Oni bibili počeli
Ona bi bila počela	One bibile počele
Ono bi bilo počelo	Ona bi bila počela

Verbal adjective active	Male	Female	Neutral
Singular	Počeo	Počela	Počelo
Plural	Počeli	Počele	Počela

Verbal adjective passive	Male	Female	Neutral
Singular	Počet	Početa	Početo
Plural	Početi	Počete	Početa

Transgressive (Present Verbal adverb)	Počinjući
Transgressive (Past Verbal adverb)	Počevši
Verbal noun	**Počinjanje**

Perfective aspect of the verb	Početi	Poh-tcheh-tee
Imperfective aspect of the verb	Poči+nja+ti	Poh-tchee-nyah-tee

10. To break (Razbiti) – Raz-bee-tee

Present tense (sadašnje vrijeme)	Aorist tense (Aorist)	Imperfect tense (Imperfekt)
Ja razbijem/razbijam	Ja razbih	Ja razbijah
Ti razbiješ/razbijaš	Ti razbi	Ti razbijaše
On/ ona/ ono razbije/razbija	On/ona/ono razbi	On/ ona/ ono razbijaše
Mi razbijemo/razbijamo	Mi razbismo	Mi razbijasmo
Vi razbijete/razbijate	Vi razbiste	Vi razbijaste
Oni/one razbiju/razbijaju	Oni/one razbiše	Oni/ one razbijahu

Past tense (Perfekt)	Pluperfect (Pluskvamperfekat)	Future tense (Futur I)
Ja sam razbio/razbila	Ja sam bio razbio/razbila	Ja ću razbiti
Ti si razbio/razbila	Ti si biorazbio/razbila	Ti ćeš razbiti
On je razbio	On je bio razbio	On/ona/ono će razbiti
Ona je razbila	Ona je bila razbila	Mi ćemo razbiti
Ono je razbilo	Ono je bilo razbilo	Vi ćete razbiti
Mi smo razbili	Mi smo bili razbili	Oni/ one će razbiti
Vi ste razbili	Vi ste bili razbili	
Oni su razbili/ One su razbile	Oni su bili razbili/One su bile razbile	

Future tense (Futur II)	Imperative (imperativ)	Conditional I (Potencijal I)
Budem razbio/razbila	------------	Ja bih razbio/razbila
Budeš razbio/razbila	Razbij	Ti bi razbio/razbila
Bude razbio/razbila/razbilo	------------	On bi razbio/Ona bi razbila/Ono bi razbilo
Budemo razbili	Razbijmo	Mi bismo razbili
Budete razbili	Razbijte	Vi biste razbili
Budu razbili/razbile	------------	Oni bi razbili/One bi razbile

Conditional II (Potencijal II)	
Ja bih bio razbio/razbila	Mi bismobili razbili
Ti bi bio razbio/razbila	Vi biste bili razbili
On bi bio razbio	Oni bibili razbili
Ona bi bila razbila	One bibile razbile
Ono bi bilo razbilo	Ona bi bila razbila

Verbal adjective active	Male	Female	Neutral
Singular	Razbio	Razbila	Razbilo
Plural	Razbili	Razbile	Razbila

Verbal adjective passive	Male	Female	Neutral
Singular	Razbijen	Razbijena	Razbijeno
Plural	Razbijeni	Razbijene	Razbijena

Transgressive (Present Verbal adverb)	Razbijajući
Transgressive (Past Verbal adverb)	Razbivši
Verbal noun	Razbijanje

Perfective aspect of the verb	Razbiti	Raz-bee-tee
Imperfective aspect of the verb	Razbi+ja+ti	Raz-bee-ya-tee

11. To breathe (Disati) – Dee-sah-tee

Present tense (sadašnje vrijeme)	Aorist tense (Aorist)	Imperfect tense (Imperfekt)
Ja dišem	Ja disah	Ja disah
Ti dišeš	Ti disa	Ti disaše
On/ ona/ ono diše	On/ona/ono disa	On/ ona/ ono disaše
Mi dišemo	Mi disasmo	Mi disasmo
Vi dišete	Vi disaste	Vi disaste
Oni/one dišu	Oni/one dišu	Oni/ one disahu

Past tense (Perfekt)	Pluperfect (Pluskvamperfekat)	Future tense (Futur I)
Ja sam disao/disala	Ja sam bio disao/disala	Ja ću disati
Ti si disao/disala	Ti si biodisao/disala	Ti ćeš disati
On je disao	On je bio disao	On/ona/ono će disati
Ona je disala	Ona je bila disala	Mi ćemo disati
Ono je disalo	Ono je bilo disalo	Vi ćete disati
Mi smo disali	Mi smo bili disali	Oni/ one će disati
Vi ste disali	Vi ste bili disali	
Oni su disali/One su disale	Oni su bili disali/One su bile disale	

Future tense (Futur II)	Imperative (imperativ)	Conditional I (Potencijal I)
Budem disao/disala	------------	Ja bih disao/disala
Budeš disao/disala	Diši	Ti bi disao/disala
Bude disao/disala/disalo	-----------	On bi disao/Ona bi disala/Ono bi disalo
Budemo disali	Dišimo	Mi bismo disali
Budete disali	Dišite	Vi biste disali
Budu disali/disale	------------	Oni bi disali/One bi disale

Conditional II (Potencijal II)	
Ja bih bio disao/disala	Mi bismobili disali
Ti bi bio disao/disala	Vi biste bili disali
On bi bio disao	Oni bibili disali
Ona bi bila disala	One bibile disale
Ono bi bilo disalo	Ona bi bila disala

Verbal adjective active	Male	Female	Neutral
Singular	Disao	Disala	Disalo
Plural	Disali	Disale	Disala

Verbal adjective passive	Male	Female	Neutral
Singular	---------	---------	---------
Plural	---------	---------	---------

Transgressive (Present Verbal adverb)	Dišući
Transgressive (Past Verbal adverb)	Disavši
Verbal noun	Disanje

Perfective aspect of the verb	------------	------------
Imperfective aspect of the verb	Disati	Dee-sah-tee

12. To buy (Kupiti) – Koo-pee-tee

Present tense (sadašnje vrijeme)	Aorist tense (Aorist)	Imperfect tense (Imperfekt)
Ja kupim/kupujem	Ja kupih	Ja kupovah
Ti kupiš/kupuješ	Ti kupi	Ti kupovaše
On/ ona/ ono kupi/kupujem	On/ona/ono kupi	On/ ona/ ono kupovaše
Mi kupimo/kupujemo	Mi kupismo	Mi kupovasmo
Vi kupite/kupujemo	Vi kupiste	Vi kupovaste
Oni/one kupe/kupuju	Oni/one kupiše	Oni/ one kupovahu

Past tense (Perfekt)	Pluperfect (Pluskvamperfekat)	Future tense (Futur I)
Ja sam kupio/kupila	Ja sam bio kupio/kupila	Ja ću kupiti
Ti si kupio/kupila	Ti si biokupio/kupila	Ti ćeš kupiti
On je kupio	On je bio kupio	On/ona/ono će kupiti
Ona je kupila	Ona je bila kupila	Mi ćemo kupiti
Ono je kupilo	Ono je bilo kupilo	Vi ćete kupiti
Mi smo kupili	Mi smo bili kupili	Oni/ one će kupiti
Vi ste kupili	Vi ste bili kupili	
Oni su kupili/One su kupile	Oni su bili kupili/One su bile kupile	

Future tense (Futur II)	Imperative (imperativ)	Conditional I (Potencijal I)
Budem kupio/kupila	-------------	Ja bih kupio/kupila
Budeš kupio/kupila	Kupuj	Ti bi kupio/kupila
Bude kupio/kupila/kupilo	------------	On bi kupio/Ona bi kupila/Ono bi kupilo
Budemo kupili	Kupujmo	Mi bismo kupili
Budete kupili	Kupujte	Vi biste kupili
Budu kupili/kupile	-------------	Oni bi kupili/One bi kupile

Conditional II (Potencijal II)	
Ja bih bio kupio/kupila	Mi bismobili kupili
Ti bi bio kupio/kupila	Vi biste bili kupili
On bi bio kupio	Oni bibili kupili
Ona bi bila kupila	One bibile kupile
Ono bi bilo kupilo	Ona bi bila kupila

Verbal adjective active	Male	Female	Neutral
Singular	Kupio	Kupila	Kupilo
Plural	Kupili	Kupile	Kupila

Verbal adjective passive	Male	Female	Neutral
Singular	Kupljen	Kupljena	Kupljeno
Plural	Kupljeni	Kupljene	Kupljena

Transgressive (Present Verbal adverb)	Kupujući
Transgressive (Past Verbal adverb)	Kupivši
Verbal noun	Kupovanje

Perfective aspect of the verb	Kupiti	Koo-pee-tee
Imperfective aspect of the verb	Kup+ova+ti	Koo-poh-vah-tee

13. To call (Zvati)- Zvah-tee

Present tense (sadašnje vrijeme)	Aorist tense (Aorist)	Imperfect tense (Imperfekt)
Ja zovem	Ja zvadoh	Ja zvah
Ti zoveš	Ti zva	Ti zvaše
On/ ona/ ono zove	On/ona/ono zva	On/ ona/ ono zvaše
Mi zovemo	Mi zvasmo	Mi zvasmo
Vi zovete	Vi zvaste	Vi zvaste
Oni/one zovu	Oni/one zvaše	Oni/ one zvahu

Past tense (Perfekt)	Pluperfect (Pluskvamperfekat)	Future tense (Futur I)
Ja sam zvao/zvala	Ja sam bio zvao/zvala	Ja ću zvati
Ti si zvao/zvala	Ti si bio zvao/zvala	Ti ćeš zvati
On je zvao	On je bio zvao	On/ona/ono će zvati
Ona je zvala	Ona je bila zvala	Mi ćemo zvati
Ono je zvalo	Ono je bilo zvalo	Vi ćete zvati
Mi smo zvali	Mi smo bili zvali	Oni/ one će zvati
Vi ste zvali	Vi ste bili zvali	
Oni su zvali/One su zvale	Oni su bili zvali/One su bile zvale	

Future tense (Futur II)	Imperative (imperativ)	Conditional I (Potencijal I)
Budem zvao/zvala	------------	Ja bih zvao/zvala
Budeš zvao/zvala	Zovi	Ti bi zvao/zvala
Bude zvao/zvala/zvalo	-----------	On bi zvao/Ona bi zvala/Ono bi zvalo
Budemo zvali	Zovimo	Mi bismo zvali
Budete zvali	Zovite	Vi biste zvali
Budu zvali/zvale	------------	Oni bi zvali/One bi zvale

Conditional II (Potencijal II)	
Ja bih bio zvao/zvala	Mi bismobili zvali
Ti bi bio zvao/zvala	Vi biste bili zvali
On bi bio zvao	Oni bibili zvali
Ona bi bila zvala	One bibile zvale
Ono bi bilo zvalo	Ona bi bila zvala

Verbal adjective active	Male	Female	Neutral
Singular	Zvao	Zvala	Zvalo
Plural	Zvali	Zvale	Zvala

Verbal adjective passive	Male	Female	Neutral
Singular	Zvan	Zvana	Zvano
Plural	Zvani	Zvane	Zvana

Transgressive (Present Verbal adverb)	Zovući
Transgressive (Past Verbal adverb)	Zovnuvši
Verbal noun	Zvanje

Perfective aspect of the verb	Zovnuti	Zov-noo-tee
Imperfective aspect of the verb	Zvati	Zvah-tee

14. To can (Moći)- Moh-tchee

Present tense (sadašnje vrijeme)	Aorist tense (Aorist)	Imperfect tense (Imperfekt)
Ja mogu	Ja mogoh	Ja mogah
Ti možeš	Ti može	Ti mogaše
On/ ona/ ono može	On/ ona/ ono može	On/ ona/ ono mogaše
Mi možemo	Mi mogosmo	Mi mogasmo
Vi možete	Vi mogoste	Vi mogaste
Oni/one mogu	Oni/one mogoše	Oni/ one mogahu
Past tense (Perfekt)	**Pluperfect (Pluskvamperfekat)**	**Future tense (Futur I)**
Ja sam mogao/mogla	Ja sam bio mogao/mogla	Ja ću moći
Ti si mogao/mogla	Ti si bio mogao/mogla	Ti ćeš moći
On je mogao	On je bio mogao	On/ ona/ ono će moći
Ona je mogla	Ona je bila mogla	Mi ćemo moći
Ono je moglo	Ono je bilo moglo	Vi ćete moći
Mi smo mogli	Mi smo bili mogli	Oni/ one će moći
Vi ste mogli	Vi ste bili mogli	
Onisu mogli/One su mogle	Oni su bili mogli/One su bile mogle	
Future tense (Futur II)	**Imperative (imperativ)**	**Conditional I (Potencijal I)**
Budem mogao/mogla	------------	Ja bih mogao/mogla
Budeš mogao/mogla	Mogni	Ti bi mogao/mogla
Bude mogao/mogla/moglo	------------	On bi mogao/Ona bi mogla/Ono bi moglo
Budemo mogli	Mognimo	Mi bismo mogli
Budete mogli	Mognite	Vi biste mogli
Budu mogli/mogle	------------	Oni bi mogli/One bi mogle

Conditional II (Potencijal II)	
Ja bih bio mogao/mogla	Mi bismobili mogli
Ti bi bio mogao/mogla	Vi biste bili mogli
On bi bio mogao	Oni bibili mogli
Ona bi bila mogla	One bibile mogle
Ono bi bilo moglo	Ona bi bila mogla

Verbal adjective active	Male	Female	Neutral
Singular	Mogao	Mogla	Moglo
Plural	Mogli	Mogle	Mogla

Verbal adjective passive	Male	Female	Neutral
Singular	Moguć	Moguća	Moguće
Plural	Mogući	Moguće	Moguća

Transgressive (Present Verbal adverb)	Mogući
Transgressive (Past Verbal adverb)	Mogavši
Verbal noun	------------

Perfective aspect of the verb	Moći	Moh-tchee
Imperfective aspect of the verb	Moći	Moh-tchee

15. To choose (Izabrati) –Ee-zah-brah-tee

Present tense (sadašnje vrijeme)	Aorist tense (Aorist)	Imperfect tense (Imperfekt)
Ja izaberem/izabiram	Ja izabrah	Ja izabirah
Ti izabereš/izabiraš	Ti izabra	Ti izabiraše
On/ ona/ ono izabere/izabira	On/ ona/ ono izabra	On/ ona/ ono izabiraše
Mi izaberemo/izabiramo	Mi izabrasmo	Mi izabirasmo
Vi izaberete/izabirate	Vi izabraste	Vi izabiraste
Oni/one izaberu/izabiraju	Oni/one izabraše	Oni/ one izabirahu

Past tense (Perfekt)	Pluperfect (Pluskvamperfekat)	Future tense (Futur I)
Ja sam (izabrao/izabrala) izabirao/izabirala	Ja sam bio izabrao/bila izabrala	Ja ću izabrati
Ti si (izabrao/izabrala)izabirao/izabirala	Ti si bioizabrao/bila izabrala	Ti ćeš izabrati
On je (izabrao) izabirao	On je bio izabrao	On/ ona/ ono će izabrati
Ona je (izabrala) izabirala	Ona je bila izabrala	Mi ćemo izabrati
Ono je (izabralo) izabiralo	Ono je bilo izabralo	Vi ćete izabrati
Mi smo (izabrali) izabirali	Mi smo bili izabrali	Oni/ one će izabrati
Vi ste (izabrali) izabirali	Vi ste bili izabrali	
Oni su (izabrali) izabirali/One su (izabrale) izabirale	Oni su bili izabrali/One su bile izabrale	

Future tense (Futur II)	Imperative (imperativ)	Conditional I (Potencijal I)
Budem izabrao/izabrala	-------------	Ja bih izabrao/izabrala
Budeš izabrao/izabrala	Izaberi	Ti bi izabrao/izabrala
Bude izabrao/izabrala/izabralo	------------	On bi izabrao/Ona bi izabrala/Ono bi izabralo
Budemo izabrali	Izaberimo	Mi bismo izabrali
Budete izabrali	Izaberite	Vi biste izabrali
Budu izabrali/izabrale	-------------	Oni bi izabrali/One bi izabrale

Conditional II (Potencijal II)	
Ja bih bio izabrao/izabrala	Mi bismobili izabrali
Ti bi bio izabrao/izabrala	Vi biste bili izabrali
On bi bio izabrao	Oni bibili izabrali
Ona bi bila izabrala	One bibile izabrale
Ono bi bilo izabralo	Ona bi bila izabrala

Verbal adjective active	Male	Female	Neutral
Singular	Izabrao	Izabrala	Izabralo
Plural	izabrali	Izabrale	Izabrala

Verbal adjective passive	Male	Female	Neutral
Singular	Izabran	Izabrana	Izabrano
Plural	Izabrani	Izabrane	Izabrana

Transgressive (Present Verbal adverb)	Izabirajući
Transgressive (Past Verbal adverb)	Izabravši
Verbal noun	Izabiranje

Perfective aspect of the verb	Izabrati	Ee-zah-brah-tee
Imperfective aspect of the verb	Izabirati	Ee-zah-bee-rah-tee

16. To close (Zatvoriti) –Zat-voh-ree-tee

Present tense (sadašnje vrijeme)	Aorist tense (Aorist)	Imperfect tense (Imperfekt)
Ja zatvorim/zatvaram	Ja zatvorih	Ja zatvarah
Ti zatvoriš/zatvaraš	Ti zatvori	Ti zatvaraše
On/ona/ono zatvori/zatvara	On/ona/ono zatvori	On/ ona/ono zatvaraše
Mi zatvorimo/zatvaramo	Mi zatvorismo	Mi zatvarasmo
Vi zatvorite/zatvarate	Vi zatvoriste	Vi zatvaraste
Oni/one zatvore/zatvaraju	Oni/one zatvoriše	Oni/ one zatvarahu
Past tense (Perfekt)	**Pluperfect (Pluskvamperfekat)**	**Future tense (Futur I)**
Ja sam zatvorio/zatvorila	Ja sam bio zatvorio/bila zatvorila	Ja ću zatvoriti
Ti si zatvorio/zatvorila	Ti si biozatvorio/bila zatvorila	Ti ćeš zatvoriti
On je zatvorio	On je bio zatvorio	On/ ona/ ono će zatvoriti
Ona je zatvorila	Ona je bila zatvorila	Mi ćemo zatvoriti
Ono je zatvorilo	Ono je bilo zatvorilo	Vi ćete zatvoriti
Mi smo zatvorilo	Mi smo bili zatvorili	Oni/one će zatvoriti
Vi ste zatvorili	Vi ste bili zatvorili	
Oni su zatvorili/One su zatvorile	Oni su bili zatvorili/One su bile zatvorile	
Future tense (Futur II)	**Imperative (imperativ)**	**Conditional I (Potencijal I)**
Budem zatvorio/zatvorila	------------	Ja bih zatvorio/zatvorila
Budeš zatvorio/zatvorila	Zatvori	Ti bi zatvorio/zatvorila
Bude zatvorio/zatvorila/zatvorilo	------------	On bi zatvorio/Ona bi zatvorila/Ono bi zatvorilo
Budemo zatvorili	Zatvorismo	Mi bismo zatvorili
Budete zatvorili	Zatvorite	Vi biste zatvorili
Budu zatvorili/zatvorile	------------	Oni bi zatvorili/One bi zatvorile

Conditional II (Potencijal II)	
Ja bih bio zatvorio/zatvorila	Mi bismobili zatvorili
Ti bi bio zatvorio/zatvorila	Vi biste bili zatvorili
On bi bio zatvorio	Oni bibili zatvorili
Ona bi bila zatvorila	One bibile zatvorile
Ono bi bilo zatvorilo	Ona bi bila zatvorila

Verbal adjective active	Male	Female	Neutral
Singular	Zatvorio	Zatvorila	Zatvorilo
Plural	Zatvorili	Zatvorile	Zatvorila

Verbal adjective passive	Male	Female	Neutral
Singular	Zatvoren	Zatvorena	Zatvoreno
Plural	Zatvoreni	Zatvorene	Zatvorena

Transgressive (Present Verbal adverb)	Zatvarajući
Transgressive (Past Verbal adverb)	Zatvorivši
Verbal noun	Zatvaranje

Perfective aspect of the verb	Zatvoriti	Zat-voh-ree-tee
Imperfective aspect of the verb	Zatvarati	Zat-vah-rah-tee

17. To come (Doći) – Doh-tchee

Present tense (sadašnje vrijeme)	Aorist tense (Aorist)	Imperfect tense (Imperfekt)
Ja dođem/dolazim	Ja dođoh	Ja dolažah
Ti dođeš/dolaziš	Ti dođe	Ti dolađaše
On/ona/ono dođe/dolazii	On/ona/ono dođe	On/ ona/ono dolađaše
Mi dođemo/dolazimo	Mi dođosmo	Mi dolađasmo
Vi dođete/dolazite	Vi dođoste	Vi dolađaste
Oni/one dođu/dolaze	Oni/one dođoše	Oni/ one dolažahu
Past tense (Perfekt)	**Pluperfect (Pluskvamperfekat)**	**Future tense (Futur I)**
Ja sam došao/došla	Ja sam bio došao/bila došla	Ja ću doći
Ti si došao/došla	Ti si bio došao/bila došla	Ti ćeš doći
On je došao	On je bio došao	On/ ona/ ono će doći
Ona je došla	Ona je bila došla	Mi ćemo doći
Ono je došlo	Ono je bilo došlo	Vi ćete doći
Mi smo došli	Mi smo bili došli	Oni/one će doći
Vi ste došli	Vi ste bili došlii	
Oni su došli/One su došle	Oni su bili došli/One su bile došle	
Future tense (Futur II)	**Imperative (imperativ)**	**Conditional I (Potencijal I)**
Budem došao/došla	------------	Ja bih došao/došla
Budeš došao/došla	Dođi	Ti bi došao/došla
Bude došao/došla/došlo	------------	On bi došao/Ona bi došla/Ono bi došlo
Budemo došli	Dođimo	Mi bismo došli
Budete došli	Dođite	Vi biste došli
Budu došli/došle	------------	Oni bi došli/One bi došle

Conditional II (Potencijal II)	
Ja bih bio došao/došla	Mi bismobili došli
Ti bi bio došao/došla	Vi biste bili došli
On bi bio došao	Oni bibili došli
Ona bi bila došla	One bibile došle
Ono bi bilo došlo	Ona bi bila došla

Verbal adjective active	Male	Female	Neutral
Singular	Došao	Došla	Došlo
Plural	Došli	Došle	Došla

Verbal adjective passive	Male	Female	Neutral
Singular	---------	---------	---------
Plural	---------	---------	---------

Transgressive (Present Verbal adverb)	Dolazeći
Transgressive (Past Verbal adverb)	Došavši
Verbal noun	Dolaženje

Perfective aspect of the verb	Doći	Doh-tchee
Imperfective aspect of the verb	Dolaziti	Doh-lah-zee-tee

18. To cook (Kuhati) –Koo-hah-tee

Present tense (sadašnje vrijeme)	Aorist tense (Aorist)	Imperfect tense (Imperfekt)
Ja kuham	Ja skuhah	Ja kuhah
Ti kuhaš	Ti skuha	Ti kuhaše
On/ona/ono kuha	On/ona/ono skuha	On/ ona/ono kuhaše
Mi kuhamo	Mi skuhasmo	Mi kuhasmo
Vi kuhate	Vi skuhaste	Vi kuhaste
Oni/one kuhaju	Oni/one skuhaše	Oni/ one kuhahu
Past tense (Perfekt)	**Pluperfect (Pluskvamperfekat)**	**Future tense (Futur I)**
Ja sam kuhao/kuhala	Ja sam bio kuhao/bila kuhala	Ja ću kuhati
Ti si kuhao/kuhala	Ti si biokuhao/bila kuhala	Ti ćeš kuhati
On je kuhao	On je bio kuhao	On/ ona/ ono će kuhati
Ona je kuhala	Ona je bila kuhala	Mi ćemo kuhati
Ono je kuhalo	Ono je bilo kuhalo	Vi ćete kuhati
Mi smo kuhali	Mi smo bili kuhali	Oni/one će kuhati
Vi ste kuhali	Vi ste bili kuhali	
Oni su kuhali/One su kuhale	Oni su bili kuhali/One su bile kuhale	
Future tense (Futur II)	**Imperative (imperativ)**	**Conditional I (Potencijal I)**
Budem kuhao/kuhala	------------	Ja bih kuhao/kuhala
Budeš kuhao/kuhala	Kuhaj	Ti bi kuhao/kuhala
Bude kuhao/kuhala/kuhalo	------------	On bi kuhao/Ona bi kuhala/Ono bi kuhalo
Budemo kuhali	Kuhajmo	Mi bismo kuhali
Budete kuhali	Kuhajte	Vi biste kuhali
Budu kuhali/kuhale	------------	Oni bi kuhali/One bi kuhale

Conditional II (Potencijal II)	
Ja bih bio kuhao/kuhala	Mi bismobili kuhali
Ti bi bio kuhao/kuhala	Vi biste bili kuhali
On bi bio kuhao	Oni bibili kuhali
Ona bi bila kuhala	One bibile kuhale
Ono bi bilo kuhalo	Ona bi bila kuhala

Verbal adjective active	Male	Female	Neutral
Singular	Kuhao	Kuhala	Kuhalo
Plural	Kuhali	Kuhale	Kuhala

Verbal adjective passive	Male	Female	Neutral
Singular	Kuhan	Kuhana	Kuhano
Plural	Kuhani	Kuhane	Kuhana

Transgressive (Present Verbal adverb)	Kuhajući
Transgressive (Past Verbal adverb)	Kuhavši
Verbal noun	Kuhanje

Perfective aspect of the verb	S+kuhati	S+koo-hah-tee
Imperfective aspect of the verb	Kuhati	Koo-hah-tee

19. To cry (Plakati) – Plah- Kah- tee

Present tense (sadašnje vrijeme)	Aorist tense (Aorist)	Imperfect tense (Imperfekt)
Ja plačem	Ja plakah	Ja plakah
Ti plačeš	Ti plaka	Ti plakaše
On/ona/ono plače	On/ona/ono plaka	On/ ona/ono plakaše
Mi plačemo	Mi plakasmo	Mi plakasmo
Vi plačete	Vi plakaste	Vi plakaste
Oni/one plaču	Oni/one plakaše	Oni/ one plakahu
Past tense (Perfekt)	**Pluperfect (Pluskvamperfekat)**	**Future tense (Futur I)**
Ja sam plakao/plakala	Ja sam bio plakao/bila plakala	Ja ću plakati
Ti si plakao/plakala	Ti si bio plakao/bila plakala	Ti ćeš plakati
On je plakao	On je bio plakao	On/ ona/ ono će plakati
Ona je plakala	Ona je bila plakala	Mi ćemo plakati
Ono je plakalo	Ono je bilo plakalo	Vi ćete plakati
Mi smo plakali	Mi smo bili plakali	Oni/one će plakati
Vi ste plakali	Vi ste bili plakali	
Oni su plakali/One su plakale	Oni su bili plakali/One su bile plakale	
Future tense (Futur II)	**Imperative (imperativ)**	**Conditional I (Potencijal I)**
Budem plakao/plakala	------------	Ja bih plakao/plakala
Budeš plakao/plakala	Plači	Ti bi plakao/plakala
Bude plakao/plakala/plakalo	------------	On bi plakao/Ona bi plakala/Ono bi plakalo
Budemo plakali	Plačimo	Mi bismo plakali
Budete plakali	Plačite	Vi biste plakali
Budu plakali/plakale	------------	Oni bi plakali/One bi plakale

Conditional II (Potencijal II)	
Ja bih bio plakao/plakala	Mi bismobili plakali
Ti bi bio plakao/plakala	Vi biste bili plakali
On bi bio plakao	Oni bibili plakali
Ona bi bila plakala	One bibile plakale
Ono bi bilo plakalo	Ona bi bila plakala

Verbal adjective active	Male	Female	Neutral
Singular	Plakao	Plakala	Plakalo
Plural	Plakali	Plakale	Plakala

Verbal adjective passive	Male	Female	Neutral
Singular	Uplakan	Uplakana	Uplakano
Plural	Uplakani	Uplakane	Uplakana

Transgressive (Present Verbal adverb)	Plačući
Transgressive (Past Verbal adverb)	Plakavši
Verbal noun	Plakanje

Perfective aspect of the verb	Isplakati	Is-plah-kah-tee
Imperfective aspect of the verb	Plakati	Plah-kah-tee

20. To dance (Plesati) –Pleh-sah-tee

Present tense (sadašnje vrijeme)	Aorist tense (Aorist)	Imperfect tense (Imperfekt)
Ja plešem	Ja plesah	Ja plesah
Ti plešeš	Ti plesa	Ti plesaše
On/ona/ono pleše	On/ona/ono plesa	On/ ona/ono plesaše
Mi plešemo	Mi plesasmo	Mi plesasmo
Vi plešete	Vi plesaste	Vi plesaste
Oni/one plešu	Oni/one plesaše	Oni/ one plesahu

Past tense (Perfekt)	Pluperfect (Pluskvamperfekat)	Future tense (Futur I)
Ja sam plesao/plesala	Ja sam bio plesao/bila plesala	Ja ću plesati
Ti si plesao/plesala	Ti si bio plesao/bila plesala	Ti ćeš plesati
On je plesao	On je bio plesao	On/ ona/ ono će plesati
Ona je plesala	Ona je bila plesala	Mi ćemo plesati
Ono je plesalo	Ono je bilo plesalo	Vi ćete plesati
Mi smo plesali	Mi smo bili plesali	Oni/one će plesati
Vi ste plesali	Vi ste bili plesali	
Oni su plesali/One su plesale	Oni su bili plesali/One su bile plesale	

Future tense (Futur II)	Imperative (imperativ)	Conditional I (Potencijal I)
Budem plesao/plesala	------------	Ja bih plesao/plesala
Budeš plesao/plesala	Pleši	Ti bi plesao/plesala
Bude plesao/plesala/plesalo	------------	On bi plesao/Ona bi plesala/Ono bi plesalo
Budemo plesali	Plešimo	Mi bismo pleseli
Budete plesali	Plešite	Vi biste plesali
Budu plesali/plesale	------------	Oni bi plesali/One bi plesale

Conditional II (Potencijal II)	
Ja bih bio plesao/plesala	Mi bismobili plesali
Ti bi bio plesao/plesala	Vi biste bili plesali
On bi bio plesao	Oni bibili plesali
Ona bi bila plesala	One bibile plesale
Ono bi bilo plesalo	Ona bi bila plesala

Verbal adjective active	Male	Female	Neutral
Singular	Plesao	Plesala	Plesalo
Plural	Plesali	Plesale	Plesala

Verbal adjective passive	Male	Female	Neutral
Singular	---------	---------	---------
Plural	---------	---------	---------

Transgressive (Present Verbal adverb)	Plešući
Transgressive (Past Verbal adverb)	Plesavši
Verbal noun	Plesanje

Perfective aspect of the verb	Otplesati	Ot-pleh-sah-tee
Imperfective aspect of the verb	Plesati	Pleh-sah-tee

21. To decide (Odlučiti) – Od-loo-chee-tee

Present tense (sadašnje vrijeme)	Aorist tense (Aorist)	Imperfect tense (Imperfekt)
Ja odlučim/odlučujem	Ja odlučih	Ja odlučivah
Ti odlučiš/odlučuješ	Ti odluči	Ti odlučivaše
On/ona/ono odluči/odlučuje	On/ona/ono odluči	On/ ona/ono odlučivaše
Mi odlučimo/odlučujemo	Mi odlučismo	Mi odlučivasmo
Vi odlučite/odlučujete	Vi odlučiste	Vi odlučivaste
Oni/one odluče/odlučuju	Oni/one odlučiše	Oni/ one odlučivahu

Past tense (Perfekt)	Pluperfect (Pluskvamperfekat)	Future tense (Futur I)
Ja sam odlučio/odlučila	Ja sam bio odlučio/bila odlučila	Ja ću odlučiti
Ti si odlučio/odlučila	Ti si bio odlučio/bila odlučila	Ti ćeš odlučiti
On je odlučio	On je bio odlučio	On/ona/ono će odlučiti
Ona je odlučila	Ona je bila odlučila	Mi ćemo odlučiti
Ono je odlučilo	Ono je bilo odlučilo	Vi ćete odlučiti
Mi smo odlučili	Mi smo bili odlučili	Oni/one će odlučiti
Vi ste odlučili	Vi ste bili odlučili	
Oni su odlučili/One su odlučile	Oni su bili odlučili/One su bile odlučile	

Future tense (Futur II)	Imperative (imperativ)	Conditional I (Potencijal I)
Budem odlučio/odlučila	-------------	Ja bih odlučio/odlučila
Budeš odlučio/odlučila	Odluči	Ti bi odlučio/odlučila
Bude odlučio/odlučila/odlučilo	------------	On bi odlučio/Ona bi odlučila/Ono bi odlučilo
Budemo odlučili	Odlučimo	Mi bismo odlučili
Budete odlučili	Odlučite	Vi biste odlučili
Budu odlučili/odlučile	-------------	Oni bi odlučili/One bi odlučile

Conditional II (Potencijal II)	
Ja bih bio odlučio/odlučila	Mi bismobili odlučili
Ti bi bio odlučio/odlučila	Vi biste bili odlučili
On bi bio odlučio	Oni bibili odlučili
Ona bi bila odlučila	One bibile odlučile
Ono bi bilo odlučilo	Ona bi bila odlučila

Verbal adjective active	Male	Female	Neutral
Singular	Odlučio	Odlučila	Odlučilo
Plural	Odlučili	Odlučile	Odlučila

Verbal adjective passive	Male	Female	Neutral
Singular	Odlučen	Odlučena	Odlučeno
Plural	Odlučeni	Odlučene	Odlučena

Transgressive (Present Verbal adverb)	Odlučujući
Transgressive (Past Verbal adverb)	Odlučivši
Verbal noun	Odlučivanje

Perfective aspect of the verb	Odlučiti	Od-loo-chee-tee
Imperfective aspect of the verb	Odluči+va+ti	Od-loo-chee-vah-tee

22. To decrease (Smanjiti) –Smah-nyee- tee

Present tense (sadašnje vrijeme)	Aorist tense (Aorist)	Imperfect tense (Imperfekt)
Ja smanjim/smanjujem	Ja smanjih	Ja smanjivah
Ti smanjiš/smanjuješ	Ti smanji	Ti smanjivaše
On/ona/ono smanji/smanjuje	On/ona/ono smanji	On/ ona/ono smanjivaše
Mi smanjimo/smanjujemo	Mi smanjismo	Mi smanjivasmo
Vi smanjite/smanjujete	Vi smanjiste	Vi smanjivaste
Oni/one smanje/smanjuju	Oni/one smanjiše	Oni/ one smanjivahu
Past tense (Perfekt)	**Pluperfect (Pluskvamperfekat)**	**Future tense (Futur I)**
Ja sam smanjio/smanjila	Ja sam bio smanjio/bila smanjila	Ja ću smanjiti
Ti si smanjio/smanjila	Ti si bio smanjio/bila smanjila	Ti ćeš smanjiti
On je smanjio	On je bio smanjio	On/ona/ono će smanjiti
Ona je smanjila	Ona je bila smanjila	Mi ćemo smanjiti
Ono je smanjilo	Ono je bilo smanjilo	Vi ćete smanjiti
Mi smo smanjili	Mi smo bili smanjili	Oni/one će smanjiti
Vi ste smanjili	Vi ste bili smanjili	
Oni su smanjili/One su smanjile	Oni su bili smanjili/One su bile smanjile	
Future tense (Futur II)	**Imperative (imperativ)**	**Conditional I (Potencijal I)**
Budem smanjio/smanjila	------------	Ja bih smanjio/smanjila
Budeš smanjio/smanjila	Smanji	Ti bi smanjio/smanjila
Bude smanjio/smanjila/smanjilo	------------	On bi smanjio/Ona bi smanjila/Ono bi smanjilo
Budemo smanjili	Smanjimo	Mi bismo smanjili
Budete smanjili	Smanjite	Vi biste smanjili
Budu smanjili/smanjile	------------	Oni bi smanjili/One bi smanjile

Conditional II (Potencijal II)	
Ja bih bio smanjio/smanjila	Mi bismobili smanjili
Ti bi bio smanjio/smanjila	Vi biste bili smanjili
On bi bio smanjio	Oni bibili smanjili
Ona bi bila smanjila	One bibile smanjile
Ono bi bilo smanjilo	Ona bi bila smanjila

Verbal adjective active	Male	Female	Neutral
Singular	Smanjio	Smanjila	Smanjilo
Plural	Smanjili	Smanjile	Smanjila

Verbal adjective passive	Male	Female	Neutral
Singular	Smanjen	Smanjena	Smanjeno
Plural	Smanjeni	Smanjene	Smanjena

Transgressive (Present Verbal adverb)	Smanjujući
Transgressive (Past Verbal adverb)	Smanjivši
Verbal noun	Smanjivanje

Perfective aspect of the verb	Smanjiti	Smah-nyee- tee
Imperfective aspect of the verb	Smanji+va+ti	Smah-nyee-vah- tee

23. To die (Umrijeti) –Oom-ree-yeh-tee

Present tense (sadašnje vrijeme)	Aorist tense (Aorist)	Imperfect tense (Imperfekt)
Ja umrem/umirem	Ja umrijeh	Ja umirah
Ti umreš/umireš	Ti umrije	Ti umiraše
On/ona/ono umre/umire	On/ona/ono umrije	On/ ona/ono umiraše
Mi umremo/umiremo	Mi umrijesmo	Mi umirasmo
Vi umrete/umirete	Vi umrijeste	Vi umiraste
Oni/one umru/umiru	Oni/one umriješe	Oni/ one umirahu
Past tense (Perfekt)	**Pluperfect (Pluskvamperfekat)**	**Future tense (Futur I)**
Ja sam umro/umrla	Ja sam bio umro/bila umrla	Ja ću umrijeti
Ti si umro/umrla	Ti si bioumro/bila umrla	Ti ćeš umrijeti
On je umro	On je bio umro	On/ona/ono će umrijeti
Ona je umrla	Ona je bila umrla	Mi ćemo umrijeti
Ono je umrlo	Ono je bilo umrlo	Vi ćete umrijeti
Mi smo umrli	Mi smo bili umrli	Oni/one će umrijeti
Vi ste umrli	Vi ste bili umrli	
Oni su umrli/One su umrle	Oni su bili umrli/One su bile umrle	
Future tense (Futur II)	**Imperative (imperativ)**	**Conditional I (Potencijal I)**
Budem umro/umrla	------------	Ja bih umro/umrla
Budeš umro/umrla	Umri	Ti bi umro/umrla
Bude umro/umrla/umrlo	-----------	On bi umro/Ona bi umrla/Ono bi umrlo
Budemo umrli	Umrimo	Mi bismo umrli
Budete umrli	Umrite	Vi biste umrli
Budu umrli/umrle	------------	Oni bi umrle/One bi umrle

Conditional II (Potencijal II)	
Ja bih bio umro/umrla	Mi bismobili umrli
Ti bi bio umro/umrla	Vi biste bili umrli
On bi bio umro	Oni bibiliumrli
Ona bi bila umrla	One bibile umrle
Ono bi bilo umrlo	Ona bi bila umrla

Verbal adjective active	Male	Female	Neutral
Singular	Umro	Umrla	Umrlo
Plural	Umrli	Umrle	Umrla

Verbal adjective passive	Male	Female	Neutral
Singular	------	-------	-------
Plural	------	-------	-------

Transgressive (Present Verbal adverb)	Umirući
Transgressive (Past Verbal adverb)	Umrijevši
Verbal noun	Umiranje

Perfective aspect of the verb	Umrijeti	Oom-ree-yeh-tee
Imperfective aspect of the verb	Umirati	Oomee-rah-ree

24. To do (Uraditi/Raditi)- Oorah-dee-tee

Present tense (sadašnje vrijeme)	Aorist tense (Aorist)	Imperfect tense (Imperfekt)
Ja uradim/radim	Ja (u)radih	Ja radih
Ti uradiš/radiš	Ti (u)radi	Ti radiše
On/ona/ono uradi/radi	On/ona/ono (u)radi	On/ ona/ono radiše
Mi uradimo/radimo	Mi (u)radismo	Mi radismo
Vi uradite/radite	Vi (u)radiste	Vi radiste
Oni/one urade/rade	Oni/one (u)radiše	Oni/ one radahu

Past tense (Perfekt)	Pluperfect (Pluskvamperfekat)	Future tense (Futur I)
Ja sam (u)radio/(u)radila	Ja sam bio (u)radio/bila (u)radila	Ja ću (u)raditi
Ti si (u)radio/(u)radila	Ti si bio(u)radio/bila (u)radila	Ti ćeš (u)raditi
On je (u)radio	On je bio (u)radio	On/ona/ono će (u)raditi
Ona je (u)radila	Ona je bila (u)radila	Mi ćemo (u)raditi
Ono je (u)radilo	Ono je bilo (u)radilo	Vi ćete(u)raditi
Mi smo (u)radili	Mi smo bili (u)radili	Oni/one će (u)raditi
Vi ste (u)radili	Vi ste bili (u)radili	
Oni su (u)radili/One su (u)radile	Oni su bili (u)radili/One su bile (u)radile	

Future tense (Futur II)	Imperative (imperativ)	Conditional I (Potencijal I)
Budem (u)radio/(u)radila	------------	Ja bih (u)radio/(u)radila
Budeš (u)radio/(u)radila	(u)radi	Ti bi (u)radio/(u)radila
Bude (u)radio/(u)radila/(u)radilo	------------	On bi (u)radio/Ona bi (u)radila/Ono bi (u)radilo
Budemo (u)radili	(u)radimo	Mi bismo (u)radili
Budete (u)radili	(u)radite	Vi biste (u)radili
Budu (u)radili/(u)radile	------------	Oni bi uradili/One bi (u)radile

Conditional II (Potencijal II)	
Ja bih bio (u)radio/(u)radila	Mi bismobili (u)radili
Ti bi bio (u)radio/(u)radila	Vi biste bili (u)radili
On bi bio (u)radio	Oni bibili(u)radili
Ona bi bila (u)radila	One bibile (u)radile
Ono bi bilo (u)radilo	Ona bi bila (u)radila

Verbal adjective active	Male	Female	Neutral
Singular	(u)radio	(u)radila	(u)radilo
Plural	(u)radili	(u)radile	(u)radila

Verbal adjective passive	Male	Female	Neutral
Singular	(u)rađen	(u)rađena	(u)rađeno
Plural	(u)rađeni	(u)rađene	(u)rađena

Transgressive (Present Verbal adverb)	Radeći
Transgressive (Past Verbal adverb)	Uradivši
Verbal noun	------------

Perfective aspect of the verb	U+raditi	Oorah-dee-tee
Imperfective aspect of the verb	Raditi	Rah-dee-tee

25. To drink (Piti) – Pee-tee

Present tense (sadašnje vrijeme)	Aorist tense (Aorist)	Imperfect tense (Imperfekt)
Ja pijem	Ja pih	Ja pijah
Ti piješ	Ti pi	Ti pijaše
On/ona/ono pije	On/ona/ono pi	On/ ona/ono pijaše
Mi pijemo	Mi pismo	Mi pijasmo
Vi pijete	Vi piste	Vi pijaste
Oni/one piju	Oni/one piše	Oni/ one pijahu

Past tense (Perfekt)	Pluperfect (Pluskvamperfekat)	Future tense (Futur I)
Ja sam pio/pila	Ja sam bio pio/bila pila	Ja ću piti
Ti si pio/pila	Ti si biopio/bila pila	Ti ćeš piti
On je pio	On je bio pio	On/ona/ono će piti
Ona je pila	Ona je bila pila	Mi ćemo piti
Ono je pilo	Ono je bilo pilo	Vi ćete piti
Mi smo pili	Mi smo bili pili	Oni/one će piti
Vi ste pili	Vi ste bili pili	
Oni su pili/One su pile	Oni su bili pili/One su bile pile	

Future tense (Futur II)	Imperative (imperativ)	Conditional I (Potencijal I)
Budem pio/pila	------------	Ja bih pio/pila
Budeš pio/pila	Pij	Ti bi pio/pila
Bude pio/pila/pilo	------------	On bi pio/Ona bi pila/Ono bi pilo
Budemo pili	Pijmo	Mi bismo pili
Budete pili	Pijte	Vi biste pili
Budu pili/pile	------------	Oni bi pili/One bi pile

Conditional II (Potencijal II)	
Ja bih bio pio/pila	Mi bismobili pili
Ti bi bio pio/pila	Vi biste bili pili
On bi bio pio	Oni bibili pili
Ona bi bila pila	One bibile pile
Ono bi bilo pilo	Ona bi bila pila

Verbal adjective active	Male	Female	Neutral
Singular	Pio	Pila	Pilo
Plural	Pili	Pile	Pila

Verbal adjective passive	Male	Female	Neutral
Singular	Pijen	Pijena	Pijeno
Plural	pijeni	Pijene	Pijena

Transgressive (Present Verbal adverb)	Pijući
Transgressive (Past Verbal adverb)	Popivši
Verbal noun	Pijenje

Perfective aspect of the verb	Po+piti	Poh-pee-tee
Imperfective aspect of the verb	Piti	Pee-tee

26. To drive (Voziti) – Voh-zee-tee

Present tense (sadašnje vrijeme)	Aorist tense (Aorist)	Imperfect tense (Imperfekt)
Ja vozim	Ja vozih	Ja vožah
Ti voziš	Ti vozi	Ti vožaše
On/ona/ono vozi	On/ona/ono vozi	On/ ona/ono vožaše
Mi vozimo	Mi vozismo	Mi vožasmo
Vi vozite	Vi voziste	Vi vožaste
Oni/one voze	Oni/one voziše	Oni/ one vožahu
Past tense (Perfekt)	**Pluperfect (Pluskvamperfekat)**	**Future tense (Futur I)**
Ja sam vozio/vozila	Ja sam bio vozio/bila vozila	Ja ću voziti
Ti si vozio/vozila	Ti si biovozio/bila vozila	Ti ćeš voziti
On je vozio	On je bio vozio	On/ona/ono će voziti
Ona je vozila	Ona je bila vozila	Mi ćemo voziti
Ono je vozilo	Ono je bilo vozilo	Vi ćete voziti
Mi smo vozili	Mi smo bili vozili	Oni/one će voziti
Vi ste vozili	Vi ste bili vozili	
Oni su vozili/One su vozile	Oni su bili vozili/One su bile vozile	
Future tense (Futur II)	**Imperative (imperativ)**	**Conditional I (Potencijal I)**
Budem vozio/vozila	------------	Ja bih vozio/vozila
Budeš vozio/vozila	Vozi	Ti bi vozio/vozila
Bude vozio/vozila/vozilo	------------	On bi vozio/Ona bi vozila/Ono bi vozilo
Budemo vozili	Vozimo	Mi bismo vozili
Budete vozili	Vozite	Vi biste vozili
Budu vozili/vozile	------------	Oni bi vozili/One bi vozile

Conditional II (Potencijal II)	
Ja bih bio vozio/vozila	Mi bismobili vozili
Ti bi bio vozio/vozila	Vi biste bili vozili
On bi bio vozio	Oni bibili vozili
Ona bi bila vozila	One bibile vozile
Ono bi bilo vozilo	Ona bi bila vozila

Verbal adjective active	Male	Female	Neutral
Singular	Vozio	Vozila	Vozilo
Plural	Vozili	Vozile	Vozila

Verbal adjective passive	Male	Female	Neutral
Singular	Vožen	Vožena	Voženo
Plural	Voženi	Vožene	Vožena

Transgressive (Present Verbal adverb)	Vozeći
Transgressive (Past Verbal adverb)	Vozivši
Verbal noun	Vožnja

Perfective aspect of the verb	-------------	-------------
Imperfective aspect of the verb	Voziti	Voh-zee-tee

27. To eat (Jesti)- Yes-tee

Present tense (sadašnje vrijeme)	Aorist tense (Aorist)	Imperfect tense (Imperfekt)
Ja jedem	Ja jedoh	Ja jeđah
Ti jedeš	Ti jede	Ti jeđaše
On/ona/ono jede	On/ona/ono jede	On/ ona/ono jeđaše
Mi jedemo	Mi jedosmo	Mi jeđasmo
Vi jedete	Vi jedoste	Vi jeđaste
Oni/one jedu	Oni/one jedoše	Oni/ one jeđahu
Past tense (Perfekt)	**Pluperfect (Pluskvamperfekat)**	**Future tense (Futur I)**
Ja sam jeo/jela	Ja sam bio jeo/bila jela	Ja ću jesti
Ti si jeo/jela	Ti si bio jeo/bila jela	Ti ćeš jesti
On je jeo	On je bio jeo	On/ona/ono će jesti
Ona je jela	Ona je bila jela	Mi ćemo jesti
Ono je jelo	Ono je bilo jelo	Vi ćete jesti
Mi smo jeli	Mi smo bili jeli	Oni/one će jesti
Vi ste jeli	Vi ste bili jeli	
Oni su jeli/One su jele	Oni su bili jeli/One su bile jele	
Future tense (Futur II)	**Imperative (imperativ)**	**Conditional I (Potencijal I)**
Budem jeo/jela	------------	Ja bih jeo/jela
Budeš jeo/jela	Jedi	Ti bi jeo/jela
Bude jeo/jela/jelo	------------	On bi jeo/Ona bi jela/Ono bi jelo
Budemo jeli	Jedimo	Mi bismo jeli
Budete jeli	Jedite	Vi biste jeli
Budu jeli/jele	------------	Oni bi jeli/One bi jele

Conditional II (Potencijal II)	
Ja bih bio jeo/jela	Mi bismobili jeli
Ti bi bio jeo/jela	Vi biste bili jeli
On bi bio jeo	Oni bibili jeli
Ona bi bila jela	One bibile jele
Ono bi bilo jelo	Ona bi bila jela

Verbal adjective active	Male	Female	Neutral
Singular	Jeo	Jela	Jelo
Plural	Jeli	Jele	Jela

Verbal adjective passive	Male	Female	Neutral
Singular	JedenPojeden	Jedena	Jedeno
Plural	Jedeni	Jedene	Jedena

Transgressive (Present Verbal adverb)	Jedući
Transgressive (Past Verbal adverb)	Jedavši
Verbal noun	Jedenje

Perfective aspect of the verb	Pojesti	Poh-yes-tee
Imperfective aspect of the verb	Jesti	Yes-tee

28. To enter (Ući)- Oo-tchee

Present tense (sadašnje vrijeme)	Aorist tense (Aorist)	Imperfect tense (Imperfekt)
Ja uđem/ulazim	Ja uđoh	Ja ulažah
Ti uđeš/ulaziš	Ti uđe	Ti ulažaše
On/ona/ono uđe/ulazi	On/ona/ono uđe	On/ ona/ono ulažaše
Mi uđemo/ulazimo	Mi uđosmo	Mi ulažasmo
Vi uđete/ulazite	Vi uđoste	Vi ulažaste
Oni/one uđu/ulaze	Oni/one uđoše	Oni/ one ulažahu

Past tense (Perfekt)	Pluperfect (Pluskvamperfekat)	Future tense (Futur I)
Ja sam ušao/ušla	Ja sam bio ušao/bila ušla	Ja ću ući
Ti si ušao/ušla	Ti si bio ušao/bila ušla	Ti ćeš ući
On je ušao	On je bio ušao	On/ona/ono će ući
Ona je ušla	Ona je bila ušla	Mi ćemo ući
Ono je ušlo	Ono je bilo ušlo	Vi ćete ući
Mi smo ušli	Mi smo bili ušli	Oni/one će ući
Vi ste ušli	Vi ste bili ušli	
Oni su ušli/One su ušle	Oni su bili ušli/One su bile ušle	

Future tense (Futur II)	Imperative (imperativ)	Conditional I (Potencijal I)
Budem ušao/ušla	-------------	Ja bih ušao/ušla
Budeš ušao/ušla	Uđi	Ti bi ušao/ušla
Bude ušao/ušla/ušlo	------------	On bi ušao/Ona bi ušla/Ono bi ušlo
Budemo ušli	Uđimo	Mi bismo ušli
Budete ušli	Uđite	Vi biste ušli
Budu ušli/ušle	-------------	Oni bi ušli/One bi ušle

Conditional II (Potencijal II)	
Ja bih bio ušao/ušla	Mi bismobili ušli
Ti bi bio ušao/ušla	Vi biste bili ušli
On bi bio ušao	Oni bi bili ušli
Ona bi bila ušla	One bi bile ušle
Ono bi bilo ušlo	Ona bi bila ušla

Verbal adjective active	Male	Female	Neutral
Singular	Ušao	Ušla	Ušlo
Plural	Ušli	Ušle	Ušla

Verbal adjective passive	Male	Female	Neutral
Singular	------	-------	-------
Plural	------	-------	-------

Transgressive (Present Verbal adverb)	Ulazeći
Transgressive (Past Verbal adverb)	Ušavši
Verbal noun	**Ulaženje**

Perfective aspect of the verb	Ući	Oo-tchee
Imperfective aspect of the verb	Ulaziti	Oo-lah-zee-tee

29. To exit (Izaći) – Ee-zah-tchee

Present tense (sadašnje vrijeme)	Aorist tense (Aorist)	Imperfect tense (Imperfekt)
Ja izađem/izlazim	Ja izađoh	Ja izlažah
Ti izađeš/izlaziš	Ti izađe	Ti izlažaše
On/ona/ono izađe/izlazi	On/ona/ono izađe	On/ ona/ono izlažaše
Mi izađemo/izlazimo	Mi izađosmo	Mi izlažasmo
Vi izađete/izlazite	Vi izađoste	Vi izlažaste
Oni/one izađu/izlaze	Oni/one izađoše	Oni/ one izlažahu

Past tense (Perfekt)	Pluperfect (Pluskvamperfekat)	Future tense (Futur I)
Ja sam izašao/izašla	Ja sam bio izašao/bila izašla	Ja ću izaći
Ti si izašao/izašla	Ti si bioizašao/bila izašla	Ti ćeš izaći
On je izašao	On je bio izašao	On/ona/ono će izaći
Ona je izašla	Ona je bila izašla	Mi ćemo izaći
Ono je izašlo	Ono je bilo izašlo	Vi ćete izaći
Mi smo izašli	Mi smo bili izašli	Oni/one će izaći
Vi ste izašli	Vi ste bili izašli	
Oni su izašli/One su izašle	Oni su bili izašli/One su bile izašle	

Future tense (Futur II)	Imperative (imperativ)	Conditional I (Potencijal I)
Budem izašao/izašla	------------	Ja bih izašao/izašla
Budeš izašao/izašla	Izađi	Ti bi izašao/izašla
Bude izašao/izašla/izašlo	------------	On bi izašao/Ona bi izašla/Ono bi izašlo
Budemo izašli	Izađimo	Mi bismo izašli
Budete izašli	Izađite	Vi biste izašli
Budu izašli/izašle	------------	Oni bi izašli/One bi izašle

Conditional II (Potencijal II)	
Ja bih bio izašao/izašla	Mi bismobili izašli
Ti bi bio izašao/izašla	Vi biste bili izašli
On bi bio izašao	Oni bibili izašli
Ona bi bila izašla	One bibile izašle
Ono bi bilo izašlo	Ona bi bila izašla

Verbal adjective active	Male	Female	Neutral
Singular	Izašao	Izašla	Izašlo
Plural	Izašli	Izašle	Izašla

Verbal adjective passive	Male	Female	Neutral
Singular	------	-------	-------
Plural	------	-------	-------

Transgressive (Present Verbal adverb)	Izlazeći
Transgressive (Past Verbal adverb)	Izašavši
Verbal noun	Izlaženje

Perfective aspect of the verb	Izaći	Ee-zah-tchee
Imperfective aspect of the verb	Izlaziti	Eez-lah-zee-tee

30. To explain (Objasniti) –Ob- yah-snee-tee

Present tense (sadašnje vrijeme)	Aorist tense (Aorist)	Imperfect tense (Imperfekt)
Ja objasnim/objašnjavam	Ja objasnih	Ja objašnjavah
Ti objasniš/objašnjavaš	Ti objasni	Ti objašnjavaše
On/ona/ono objasni/objašnjava	On/ona/ono objasni	On/ ona/ono objašnjavaše
Mi objasnimo/objašnjavamo	Mi objasnismo	Mi objašnjavasmo
Vi objasnite/objašnjavate	Vi objasniste	Vi objašnjavaste
Oni/one objasne/objašnjavaju	Oni/one objasniše	Oni/ one objašnjavahu
Past tense (Perfekt)	**Pluperfect (Pluskvamperfekat)**	**Future tense (Futur I)**
Ja sam objasnio/objasnila	Ja sam bio objasnio/bila objasnila	Ja ću objasniti
Ti si objasnio/objasnila	Ti si bio objasnio/bila objasnila	Ti ćeš objasniti
On je objasnio	On je bio objasnio	On/ona/ono će objasniti
Ona je objasnila	Ona je bila objasnila	Mi ćemo objasniti
Ono je objasnilo	Ono je bilo objasnilo	Vi ćete objasniti
Mi smo objasnili	Mi smo bili objasnili	Oni/one će objasniti
Vi ste objasnili	Vi ste bili objasnili	
Oni su objasnili/One su objasnile	Oni su bili objasnili/One su bile objasnile	
Future tense (Futur II)	**Imperative (imperativ)**	**Conditional I (Potencijal I)**
Budem objasnio/objasnila	-------------	Ja bih objasnio/objasnila
Budeš objasnio/objasnila	Objasni	Ti bi objasnio/objasnila
Bude objasnio/objasnila/objasnilo	------------	On bi objasnio/Ona bi objasnila/Ono bi objasnilo
Budemo objasnili	Objasnimo	Mi bismo objasnili
Budete objasnili	Objasnite	Vi biste objasnili
Budu objasnili/objasnile	-------------	Oni bi objasnili/One bi objasnile

Conditional II (Potencijal II)	
Ja bih bio objasnio/objasnila	Mi bismobili objasnili
Ti bi bio objasnio/objasnila	Vi biste bili objasnili
On bi bio objasnio	Oni bibili objasnili
Ona bi bila objasnila	One bibile objasnile
Ono bi bilo objasnilo	Ona bi bila objasnila

Verbal adjective active	Male	Female	Neutral
Singular	Objasnio	Objasnila	Objasnilo
Plural	Objasnili	Objasnile	Objasnila

Verbal adjective passive	Male	Female	Neutral
Singular	Objašnjen	Objašnjena	Objašnjeno
Plural	Objašnjeni	Objašnjene	Objašnjena

Transgressive (Present Verbal adverb)	Objašnjavajući
Transgressive (Past Verbal adverb)	Objasnivši
Verbal noun	**Objašnjavanje**

Perfective aspect of the verb	Objasniti	Ob- yah-snee-tee
Imperfective aspect of the verb	Objaš+njava+ti	Ob-yash-nyah-vah-tee

31. To fall (Padati) Pah-dah-tee

Present tense (sadašnje vrijeme)	Aorist tense (Aorist)	Imperfect tense (Imperfekt)
Ja padnem/padam	Ja padoh	Ja padah
Ti padneš/padaš	Ti pade	Ti padaše
On/ona/ono padne/pada	On/ona/ono pade	On/ ona/ono padaše
Mi padnemo/padamo	Mi padosmo	Mi padasmo
Vi padnete/padate	Vi padoste	Vi padaste
Oni/one padnu/padaju	Oni/one padoše	Oni/ one padahu

Past tense (Perfekt)	Pluperfect (Pluskvamperfekat)	Future tense (Futur I)
Ja sam padao/padala	Ja sam bio padao/bila padala	Ja ću padati
Ti si padao/padala	Ti si biopadao/bila padala	Ti ćeš padati
On je padao	On je bio padao	On/ona/ono će padati
Ona je padala	Ona je bila padala	Mi ćemo padati
Ono je padalo	Ono je bilo padalo	Vi ćete padati
Mi smo padali	Mi smo bili padali	Oni/one će padati
Vi ste padali	Vi ste bili padali	
Oni su padali/One su padale	Oni su bili padali/One su bile padale	

Future tense (Futur II)	Imperative (imperativ)	Conditional I (Potencijal I)
Budem padao/padala	-------------	Ja bih padao/padala
Budeš padao/padala	Padni	Ti bi padao/padala
Bude padao/padala/padalo	------------	On bi padao/Ona bi padala/Ono bi padalo
Budemo padali	Padnimo	Mi bismo padali
Budete padali	Padnite	Vi biste padali
Budu padali/padale	-------------	Oni bi padali/One bi padale

Conditional II (Potencijal II)	
Ja bih bio padao/padala	Mi bismobili padali
Ti bi bio padao/padala	Vi biste bili padali
On bi bio padao	Oni bi bili padali
Ona bi bila padala	One bi bile padale
Ono bi bilo padalo	Ona bi bila padala

Verbal adjective active	Male	Female	Neutral
Singular	Padao	Padala	Padala
Plural	Padali	Padale	Padala

Verbal adjective passive	Male	Female	Neutral
Singular	----------	----------	----------
Plural	----------	----------	----------

Transgressive (Present Verbal adverb)	Padajući
Transgressive (Past Verbal adverb)	Padavši
Verbal noun	Padanje

Perfective aspect of the verb	Pasti	Pas-tee
Imperfective aspect of the verb	Padati	Pah-dah-tee

32. To feel (Osjećati/Osjetiti)- Os-yeh-tchah-tee

Present tense (sadašnje vrijeme)	Aorist tense (Aorist)	Imperfect tense (Imperfekt)
Ja osjetim/osjećam	Ja osjetih	Ja osjećah
Ti osjetiš/osjećaš	Ti osjeti	Ti osjećaše
On/ona/ono osjeti/osjeća	On/ona/ono osjeti	On/ ona/ono osjećaše
Mi osjetimo/osjećamo	Mi osjetismo	Mi osjećasmo
Vi osjetite/osjećate	Vi osjetiste	Vi osjećaste
Oni/one osjete/osjećaju	Oni/one osjetiše	Oni/ one osjećahu

Past tense (Perfekt)	Pluperfect (Pluskvamperfekat)	Future tense (Futur I)
Ja sam osjećao/osjećala	Ja sam bio osjećao/bila osjećala	Ja ću osjećati
Ti si osjećao/osjećala	Ti si bio osjećao/bila osjećala	Ti ćeš osjećati
On je osjećao	On je bio osjećao	On/ona/ono će osjećati
Ona je osjećala	Ona je bila osjećala	Mi ćemo osjećati
Ono je osjećalo	Ono je bilo osjećalo	Vi ćete osjećati
Mi smo osjećali	Mi smo bili osjećali	Oni/one će osjećati
Vi ste osjećali	Vi ste bili osjećali	
Oni su osjećali/One su osjećale	Oni su bili osjećali/One su bile osjećale	

Future tense (Futur II)	Imperative (imperativ)	Conditional I (Potencijal I)
Budem osjećao/osjećala	------------	Ja bih osjećao/osjećala
Budeš osjećao/osjećala	Osjećaj	Ti bi osjećao/osjećala
Bude osjećao/osjećala/osjećalo	------------	On bi osjećao/Ona bi osjećala/Ono bi osjećalo
Budemo osjećali	Osjećajmo	Mi bismo osjećali
Budete osjećali	Osjećajte	Vi biste osjećali
Budu osjećali/osjećale	------------	Oni bi osjećali/One bi osjećale

Conditional II (Potencijal II)	
Ja bih bio osjećao/osjećala	Mi bismobili osjećali
Ti bi bio osjećao/osjećala	Vi biste bili osjećali
On bi bio osjećao	Oni bi biliosjećali
Ona bi bila osjećala	One bi bile osjećale
Ono bi bilo osjećalo	Ona bi bila osjećala

Verbal adjective active	Male	Female	Neutral
Singular	Osjećao	Osjećala	Osjećalo
Plural	Osjećali	Osjećale	Osjećala

Verbal adjective passive	Male	Female	Neutral
Singular	Osjećan	Osjećana	Osjećano
Plural	Osjećani	Osjećane	Osjećana

Transgressive (Present Verbal adverb)	Osjećajući
Transgressive (Past Verbal adverb)	Osjetivši
Verbal noun	Osjećanje

Perfective aspect of the verb	Osjetiti	Os-ye-tee-tee
Imperfective aspect of the verb	Osjećati	Os-yeh-tchah-tee

33. To fight (Boriti se) –Boh-ree-tee seh

Present tense (sadašnje vrijeme)	Aorist tense (Aorist)	Imperfect tense (Imperfekt)
Ja se borim	Ja se borih	Ja se borah
Ti se boriš	Ti se bori	Ti se boraše
On/ona/ono se bori	On/ona/ono se bori	On/ ona/ono se boraše
Mi se borimo	Mi se borismo	Mi se borasmo
Vi se borite	Vi se boriste	Vi se boraste
Oni/one se bore	Oni/one se boriše	Oni/ one se borahu

Past tense (Perfekt)	Pluperfect (Pluskvamperfekat)	Future tense (Futur I)
Ja sam se borio/borila	Ja sam se bio borio/bila borila	Ja ću se boriti
Ti si se borio/borila	Ti si se bioborio/bila borila	Ti ćeš se boriti
Onse borio	Onse bio borio	On/ona/ono će se boriti
Ona se borila	Ona se bila borila	Mi ćemo se boriti
Ono se borilo	Ono se bilo borilo	Vi ćete se boriti
Mi smo se borili	Mi smo se bili borili	Oni/one će se boriti
Vi ste se borili	Vi ste se bili borili	
Oni su se borili/One su se borile	Oni su se bili borili/One su se bile borile	

Future tense (Futur II)	Imperative (imperativ)	Conditional I (Potencijal I)
Budem se borio/borila	------------	Ja bih se borio/borila
Budeš se borio/borila	Bori se	Ti bi se borio/borila
Bude se borio/borila/borilo	------------	On bi se borio/Ona bi se borila/Ono bi se borilo
Budemo se borili	Borimo se	Mi bismo se borili
Budete se borili	Borite se	Vi biste se borili
Budu se borili/borile	------------	Oni bi se borili/One bi se borile

Conditional II (Potencijal II)	
Ja bih se bio borio/borila	Mi bismo se bili borili
Ti bi se bio borio/borila	Vi biste se bili borili
On bi se bio borio	Oni bi se bili borili
Ona bi se bila borila	One bi se bile borile
Ono bi se bilo borilo	Ona bi se bila borila

Verbal adjective active	Male	Female	Neutral
Singular	Borio se	Borila se	Borilo se
Plural	Borili se	Borile se	Borila se

Verbal adjective passive	Male	Female	Neutral
Singular	Borben	Borbena	Borbeno
Plural	Borbeni	Borbene	Borbena

Transgressive (Present Verbal adverb)	Boreći se
Transgressive (Past Verbal adverb)	Borivši se
Verbal noun	Borenje

Perfective aspect of the verb	-------------	-------------
Imperfective aspect of the verb	Boriti se	Boh-ree-tee seh

34.   To find (Naći)- Nah-tchee

Present tense (sadašnje vrijeme)	Aorist tense (Aorist)	Imperfect tense (Imperfekt)
Ja nađem/nalazim	Ja nađoh	Ja nalažah
Ti nađeš/nalaziš	Ti nađe	Ti nalažaše
On/ona/ono nađe/nalazi	On/ona/ono nađe	On/ ona/ono nalažaše
Mi nađemo/nalazimo	Mi nađosmo	Mi nalažasmo
Vi nađete/nalazite	Vi nađoste	Vi nalažaste
Oni/one nađu/nalaze	Oni/one nađoše	Oni/ one nalažahu
Past tense (Perfekt)	**Pluperfect (Pluskvamperfekat)**	**Future tense (Futur I)**
Ja sam našao/našla	Ja sam bio našao/bila našla	Ja ću naći
Ti si našao/našla	Ti si bio našao/bila našla	Ti ćeš naći
On je našao	On je bio našao	On/ona/ono će naći
Ona je našla	Ona je bila našla	Mi ćemo naći
Ono je našlo	Ono je bilo našlo	Vi ćete naći
Mi smo našli	Mi smo bili našli	Oni/one će naći
Vi ste našli	Vi ste bili našli	
Oni su našli/One su našle	Oni su bili našli/One su bile našle	
Future tense (Futur II)	**Imperative (imperativ)**	**Conditional I (Potencijal I)**
Budem našao/našla	------------	Ja bih našao/našla
Budeš našao/našla	Nađi	Ti bi našao/našla
Bude našao/našla/našlo	------------	On bi našao/Ona bi našla /Ono bi našlo
Budemo našli	Nađimo	Mi bismo našli
Budete našli	Nađite	Vi biste našli
Budu našli/našle	------------	Oni bi našli/One bi našle

Conditional II (Potencijal II)	
Ja bih bio našao/našla	Mi bismobili našli
Ti bi bio našao/našla	Vi biste bili našli
On bi bio našao	Oni bi bili našli
Ona bi bila našla	One bibile našle
Ono bi bilo našlo	Ona bi bila našla

Verbal adjective active	Male	Female	Neutral
Singular	Našao	Našla	Našlo
Plural	Našli	Našle	Našla

Verbal adjective passive	Male	Female	Neutral
Singular	Nađen	Nađena	Nađeno
Plural	Nađeni	Nađene	Nađena

Transgressive (Present Verbal adverb)	Nalazeći
Transgressive (Past Verbal adverb)	Našavši
Verbal noun	Nalaženje

Perfective aspect of the verb	Naći	Nah-tchee
Imperfective aspect of the verb	Nalaziti	Nah-lah-zee-tee

35. To finish (Završiti)- Zahvr-shee-tee

Present tense (sadašnje vrijeme)	Aorist tense (Aorist)	Imperfect tense (Imperfekt)
Ja završim/završavam	Ja završih	Ja završavah
Ti završiš/završavaš	Ti završi	Ti završavaše
On/ona/ono završi/završava	On/ona/ono završi	On/ ona/ono završavaše
Mi završimo/završavamo	Mi završismo	Mi završavasmo
Vi završite/završavate	Vi završiste	Vi završavaste
Oni/one završe/završavaju	Oni/one završiše	Oni/ one završavahu

Past tense (Perfekt)	Pluperfect (Pluskvamperfekat)	Future tense (Futur I)
Ja sam završio/završila	Ja sam bio završio/bila završila	Ja ću završiti
Ti si završio/završila	Ti si biozavršio/bila završila	Ti ćeš završiti
On je završio	On je bio završio	On/ona/ono će završiti
Ona je završila	Ona je bila završila	Mi ćemo završiti
Ono je završilo	Ono je bilo završilo	Vi ćete završiti
Mi smo završili	Mi smo bili završili	Oni/one će završiti
Vi ste završili	Vi ste bili završili	
Oni su završili/One su završile	Oni su bili završili/One su bile završile	

Future tense (Futur II)	Imperative (imperativ)	Conditional I (Potencijal I)
Budem završio/završila	-------------	Ja bih završio/završila
Budeš završio/završila	Završi	Ti bi završio/završila
Bude završio/završila/završilo	------------	On bi završio/Ona bi završila/Ono bi završilo
Budemo završili	Završimo	Mi bismo završili
Budete završili	Završite	Vi biste završili
Budu završili/završile	-------------	Oni bi završili/One bi završile

Conditional II (Potencijal II)	
Ja bih bio završio/završila	Mi bismobili završili
Ti bi bio završio/završila	Vi biste bili završili
On bi bio završio	Oni bi bili završili
Ona bi bila završila	One bibile završile
Ono bi bilo završilo	Ona bi bila završila

Verbal adjective active	Male	Female	Neutral
Singular	Završio	Završila	Završilo
Plural	Završili	Završile	Završila

Verbal adjective passive	Male	Female	Neutral
Singular	Završen	Završena	Završeno
Plural	Završeni	Završene	Završena

Transgressive (Present Verbal adverb)	Završavajući
Transgressive (Past Verbal adverb)	Završivši
Verbal noun	**Završavanje**

Perfective aspect of the verb	Završiti	Zahvr-shee-tee
Imperfective aspect of the verb	Završa+va+ti	Zahvr-shah-vah- tee

36. To fly (Letjeti) –Let-yeh-tee

Present tense (sadašnje vrijeme)	Aorist tense (Aorist)	Imperfect tense (Imperfekt)
Ja letim	Ja letjeh	Ja lećah
Ti letiš	Ti letje	Ti lećaše
On/ona/ono leti	On/ona/ono letje	On/ ona/ono lećaše
Mi letimo	Mi letjesmo	Mi lećasmo
Vi letite	Vi letjeste	Vi lećaste
Oni/one lete	Oni/one letješe	Oni/ one lećahu
Past tense (Perfekt)	**Pluperfect (Pluskvamperfekat)**	**Future tense (Futur I)**
Ja sam letio/letjela	Ja sam bio letio/bila letjela	Ja ću letjeti
Ti si letio/letjela	Ti si bio letio/bila letjela	Ti ćeš letjeti
On je letio	On je bio letio	On/ona/ono će letjeti
Ona je letjela	Ona je bila letjela	Mi ćemo letjeti
Ono je letjelo	Ono je bilo letjelo	Vi ćete letjeti
Mi smo letjeli	Mi smo bili letjeli	Oni/one će letjeti
Vi ste letjeli	Vi ste bili letjeli	
Oni su letjeli/One su letjele	Oni su bili letjeli/One su bile letjele	
Future tense (Futur II)	**Imperative (imperativ)**	**Conditional I (Potencijal I)**
Budem letio/letjela	-------------	Ja bih letio/letjela
Budeš letio/letjela	Leti	Ti bi letio/letjela
Bude letio/letjela/letjelo	------------	On bi letio/Ona bi letjela/Ono bi letjelo
Budemo letjeli	Letimo	Mi bismo letjeli
Budete letjeli	Letite	Vi biste letjeli
Budu letjeli/letjele	-------------	Oni bi letjeli/One bi letjele

Conditional II (Potencijal II)	
Ja bih bio letio/letjela	Mi bismobili letjeli
Ti bi bio letio / letjela	Vi biste bili letjeli
On bi bio letio	Oni bi bili letjeli
Ona bi bila letjela	One bibile letjele
Ono bi bilo letilo	Ona bi bila letjela

Verbal adjective active	Male	Female	Neutral
Singular	Letio	Letjela	Letjelo
Plural	Letjeli	Letjele	Letjela

Verbal adjective passive	Male	Female	Neutral
Singular	------	-------	-------
Plural	------	-------	-------

Transgressive (Present Verbal adverb)	Leteći
Transgressive (Past Verbal adverb)	Letivši
Verbal noun	Letenje

Perfective aspect of the verb	-------------	-------------
Imperfective aspect of the verb	Letjeti	Let-yeh-tee

37. To forget (Zaboraviti) – Zah-boh-rah-vee-tee

Present tense (sadašnje vrijeme)	Aorist tense (Aorist)	Imperfect tense (Imperfekt)
Ja zaboravim/zaboravljam	Ja zaboravih	Ja zaboravljah
Ti zaboraviš/zaboravljaš	Ti zaboravi	Ti zaboravljaše
On/ona/ono zaboravi/zaboravlja	On/ona/ono zaboravi	On/ ona/ono zaboravljaše
Mi zaboravimo/zaboravljamo	Mi zaboravismo	Mi zaboravljasmo
Vi zaboravite/zaboravljate	Vi zaboraviste	Vi zaboravljaste
Oni/one zaborave/zaboravljaju	Oni/one zaboraviše	Oni/ one zaboravljahu

Past tense (Perfekt)	Pluperfect (Pluskvamperfekat)	Future tense (Futur I)
Ja sam zaboravio/zaboravila	Ja sam bio zaboravio/bila zaboravila	Ja ću zaboraviti
Ti si zaboravio/zaboravila	Ti si bio zaboravio/bila zaboravila	Ti ćeš zaboraviti
On je zaboravio	On je bio zaboravio	On/ona/ono će zaboraviti
Ona je zaboravila	Ona je bila zaboravila	Mi ćemo zaboraviti
Ono je zaboravilo	Ono je bilo zaboravilo	Vi ćete zaboraviti
Mi smo zaboravili	Mi smo bili zaboravili	Oni/one će zaboraviti
Vi ste zaboravili	Vi ste bili zaboravili	
Oni su zaboravili/One su zaboravile	Oni su bili zaboravili/One su bile zaboravile	

Future tense (Futur II)	Imperative (imperativ)	Conditional I (Potencijal I)
Budem zaboravio/zaboravila	------------	Ja bih zaboravio/zaboravila
Budeš zaboravio/zaboravila	Zaboravi	Ti bi zaboravio/zaboravila
Bude zaboravio/zaboravila/zaboravilo	------------	On bi zaboravio/Ona bi zaboravila/Ono bi zaboravilo
Budemo zaboravili	Zaboravimo	Mi bismo zaboravili
Budete zaboravili	Zaboravite	Vi biste zaboravili
Budu zaboravili/zaboravile	------------	Oni bi zaboravili/One bi zaboravile

Conditional II (Potencijal II)	
Ja bih bio zaboravio/zaboravila	Mi bismobili zaboravili
Ti bi bio zaboravio /zaboravila	Vi biste bili zaboravili
On bi bio zaboravio	Oni bi bili zaboravili
Ona bi bila zaboravila	One bibile zaboravile
Ono bi bilo zaboravilo	Ona bi bila zaboravila

Verbal adjective active	Male	Female	Neutral
Singular	Zaboravio	Zaboravila	Zaboravilo
Plural	Zaboravili	Zaboravile	Zaboravila

Verbal adjective passive	Male	Female	Neutral
Singular	Zaboravljen	Zaboravljena	Zaboravljeno
Plural	Zaboravljeni	Zaboravljene	Zaboravljena

Transgressive (Present Verbal adverb)	Zaboravljajući
Transgressive (Past Verbal adverb)	Zaboravivši
Verbal noun	Zaboravljanje

Perfective aspect of the verb	Zaboraviti	Zah-boh-rah-vee-tee
Imperfective aspect of the verb	Zaborav+lja+ti	Zah-boh-rahv-lya -tee

38. To get up (Ustati)- Oos-tah-tee

Present tense (sadašnje vrijeme)	Aorist tense (Aorist)	Imperfect tense (Imperfekt)
Ja ustanem/ustajem	Ja ustah	Ja ustajah
Ti ustaneš/ustaješ	Ti usta	Ti ustajaše
On/ona/ono ustane/ustaje	On/ona/ono usta	On/ ona/ono ustajaše
Mi ustanemo/ustajemo	Mi ustasmo	Mi ustajasmo
Vi ustanete/ustajete	Vi ustaste	Vi ustajaste
Oni/one ustanu/ustaju	Oni/one ustaše	Oni/ one ustajahu
Past tense (Perfekt)	**Pluperfect (Pluskvamperfekat)**	**Future tense (Futur I)**
Ja sam ustao/ustala	Ja sam bio ustao/bila ustala	Ja ću ustati
Ti si ustao/ustala	Ti si bio ustao/bila ustala	Ti ćeš ustati
On je ustao	On je bio ustao	On/ona/ono će ustati
Ona je ustala	Ona je bila ustala	Mi ćemo ustati
Ono je ustalo	Ono je bilo ustalo	Vi ćete ustati
Mi smo ustali	Mi smo bili ustali	Oni/one će ustati
Vi ste ustali	Vi ste bili ustali	
Oni su ustali/One su ustale	Oni su bili ustali/One su bile ustale	
Future tense (Futur II)	**Imperative (imperativ)**	**Conditional I (Potencijal I)**
Budem ustao/ustala	------------	Ja bih ustao/ustala
Budeš ustao/ustala	Ustani	Ti bi ustao/ustala
Bude ustao/ustala/ustalo	------------	On bi ustao/Ona bi ustala/Ono bi ustalo
Budemo ustali	Ustanimo	Mi bismo ustali
Budete ustali	Ustanite	Vi biste ustali
Budu ustali/ustale	------------	Oni bi ustali/One bi ustale

Conditional II (Potencijal II)	
Ja bih bio ustao/ustala	Mi bismobili ustali
Ti bi bio ustao /ustala	Vi biste bili ustali
On bi bio ustao	Oni bi bili ustali
Ona bi bila ustala	One bibile ustale
Ono bi bilo ustalo	Ona bi bila ustala

Verbal adjective active	Male	Female	Neutral
Singular	Ustao	Ustala	Ustalo
Plural	Ustali	Ustale	Ustala

Verbal adjective passive	Male	Female	Neutral
Singular	------	-------	-------
Plural	------	-------	-------

Transgressive (Present Verbal adverb)	Ustajući
Transgressive (Past Verbal adverb)	Ustavši
Verbal noun	**Ustajanje**

Perfective aspect of the verb	Ustati	Oos-tah-tee
Imperfective aspect of the verb	Usta+ja+ti	Oos-tah-yah-tee

39. To give (Dati)- Dah-tee

Present tense (sadašnje vrijeme)	Aorist tense (Aorist)	Imperfect tense (Imperfekt)
Ja dam/dajem	Ja dadoh	Ja davah
Ti daš/daješ	Ti dade	Ti davaše
On/ona/ono da/daje	On/ona/ono dade	On/ ona/ono davaše
Mi damo/dajemo	Mi dadosmo	Mi davasmo
Vi date/dajete	Vi dadoste	Vi davaste
Oni/one daju	Oni/one dadoše	Oni/ one davahu
Past tense (Perfekt)	**Pluperfect (Pluskvamperfekat)**	**Future tense (Futur I)**
Ja sam dao/dala	Ja sam bio dao/bila dala	Ja ću dati
Ti si dao/dala	Ti si bio dao/bila dala	Ti ćeš dati
On je dao	On je bio dao	On/ona/ono će dati
Ona je dala	Ona je bila dala	Mi ćemo dati
Ono je dalo	Ono je bilo dalo	Vi ćete dati
Mi smo dali	Mi smo bili dali	Oni/one će dati
Vi ste dali	Vi ste bili dali	
Oni su dali/One su dale	Oni su bili dali/One su bile dale	
Future tense (Futur II)	**Imperative (imperativ)**	**Conditional I (Potencijal I)**
Budem dao/dala	------------	Ja bih dao/dala
Budeš dao/dala	Daj	Ti bi dao/dala
Bude dao/dala/dalo	-----------	On bi dao/Ona bi dala/Ono bi dalo
Budemo dali	Dajmo	Mi bismo dali
Budete dali	Dajte	Vi biste dali
Budu dali/dale	------------	Oni bi dali/One bi dale

Conditional II (Potencijal II)	
Ja bih bio dao/dala	Mi bismobili dali
Ti bi bio dao/dala	Vi biste bili dali
On bi bio dao	Oni bi bili dali
Ona bi bila dala	One bi bile dale
Ono bi bilo dalo	Ona bi bila dala

Verbal adjective active	Male	Female	Neutral
Singular	Dao	Dala	Dalo
Plural	Dali	Dale	Dala

Verbal adjective passive	Male	Female	Neutral
Singular	Dat	Data	Dato
Plural	Dati	Date	Data

Transgressive (Present Verbal adverb)	Dajući
Transgressive (Past Verbal adverb)	Davši
Verbal noun	Davanje

Perfective aspect of the verb	Dati	Dah-tee
Imperfective aspect of the verb	Da+va+ti	Dah-vah-tee

40. To go (ići)- Ee-tchee

Present tense (sadašnje vrijeme)	Aorist tense (Aorist)	Imperfect tense (Imperfekt)
Ja idem	Ja idoh	Ja iđah
Ti ideš	Ti ide	Ti iđaše
On/ona/ono ide	On/ona/ono ide	On/ ona/ono iđaše
Mi idemo	Mi idosmo	Mi iđasmo
Vi idete	Vi idoste	Vi iđaste
Oni/one idu	Oni/one idoše	Oni/ one iđahu
Past tense (Perfekt)	**Pluperfect (Pluskvamperfekat)**	**Future tense (Futur I)**
Ja sam išao/išla	Ja sam bio išao/bila išla	Ja ću ići
Ti si išao/išla	Ti si bio išao/bila išla	Ti ćeš ići
On je išao	On je bio išao	On/ona/ono će ići
Ona je išla	Ona je bila išla	Mi ćemo ići
Ono je išlo	Ono je bilo išlo	Vi ćete ići
Mi smo išli	Mi smo bili išli	Oni/one će ići
Vi ste išli	Vi ste bili išli	
Oni su išli/One su išle	Oni su bili išli/One su bile išle	
Future tense (Futur II)	**Imperative (imperativ)**	**Conditional I (Potencijal I)**
Budem išao/išla	------------	Ja bih išao/išla
Budeš išao/išla	Idi	Ti bi išao/išla
Bude išao/išla/išlo	------------	On bi išao/Ona bi išla/Ono bi išlo
Budemo išli	Idimo	Mi bismo išli
Budete išli	Idite	Vi biste išli
Budu išli/išle	------------	Oni bi išli/One bi išle

Conditional II (Potencijal II)	
Ja bih bio išao/išla	Mi bismobili išli
Ti bi bio išao/išla	Vi biste bili išli
On bi bio išao	Oni bi bili išli
Ona bi bila išla	One bibile išle
Ono bi bilo išlo	Ona bi bila išla

Verbal adjective active	Male	Female	Neutral
Singular	Išao	Išla	Išlo
Plural	Išlo	Išle	Išla

Verbal adjective passive	Male	Female	Neutral
Singular	------	-------	-------
Plural	------	-------	-------

Transgressive (Present Verbal adverb)	Idući
Transgressive (Past Verbal adverb)	Išavši
Verbal noun	-------------

Perfective aspect of the verb	-------------	-------------
Imperfective aspect of the verb	Ići	Ee-tchee

41. To happen (Dogoditi) – Doh-goh-dee-tee

Present tense (sadašnje vrijeme)	Aorist tense (Aorist)	Imperfect tense (Imperfekt)
Ja se dogodim/događam	Ja se dogodih	Ja sedogađah
Ti se dogodiš/događaš	Ti se dogodi	Ti se događaše
On/ona/ono se dogodi/događa	On/ona/ono se dogodi	On/ ona/ono se događaše
Mi se dogodimo/događamo	Mi se dogodismo	Mi se događasmo
Vi se dogodite/događate	Vi se dogodiste	Vi se događaste
Oni/one se dogode/događaju	Oni/one sedogodiše	Oni/ one se događahu

Past tense (Perfekt)	Pluperfect (Pluskvamperfekat)	Future tense (Futur I)
Ja sam se dogodio/dogodila	Ja sam se bio dogodio/bila dogodila	Ja ću se dogoditi
Ti si se dogodio/dogodila	Ti si se bio dogodio/bila dogodila	Ti ćeš se dogoditi
On se dogodio	On se bio dogodio	On/ona/ono će se dogoditi
Ona se dogodila	Ona se bila dogodila	Mi ćemo se dogoditi
Ono se dogodilo	Onose bilo dogodilo	Vi ćete se dogoditi
Mi smo se dogodili	Mi smo se bili dogodili	Oni/one će se dogoditi
Vi ste sedogodili	Vi ste se bili dogodili	
Oni su se dogodili/One su se dogodile	Oni su se bili dogodili/One su se bile dogodile	

Future tense (Futur II)	Imperative (imperativ)	Conditional I (Potencijal I)
Budem se dogodio/dogodila	------------	Ja bih se dogodio/dogodila
Budeš se dogodio/dogodila	Dogodi se	Ti bi se dogodio/dogodila
Bude se dogodio/dogodila/dogodilo	------------	On bi se dogodio/Ona bi se dogodila/Ono bi se dogodilo
Budemo se dogodili	Dogodimo se	Mi bismo se dogodili
Budete se dogodili	Dogodite se	Vi biste se dogodili
Budu se dogodili/dogodile	------------	Oni bi se dogodili/One bi se dogodile

Conditional II (Potencijal II)	
Ja bih se bio dogodio/dogodila	Mi bismose bili dogodili
Ti bi se bio dogodio/dogodila	Vi biste se bili dogodili
On bi se bio dogodio	Oni bi se bili dogodili
Ona bi se bila dogodila	One bi se bile dogodile
Ono bi se bilo dogodilo	Ona bi se bila dogodila

Verbal adjective active	Male	Female	Neutral
Singular	Dogodio se	Dogodila se	Dogodilo se
Plural	Dogodili se	Dogodile se	Dogodila se

Verbal adjective passive	Male	Female	Neutral
Singular	------	-------	-------
Plural	------	-------	-------

Transgressive (Present Verbal adverb)	Događajući
Transgressive (Past Verbal adverb)	Dogodivši
Verbal noun	**Događanje**

Perfective aspect of the verb	Dogoditi	Doh-goh-dee-tee
Imperfective aspect of the verb	Događati	Doh-gah-jah-tee

42. To have (Imati)- Ee-mah-tee

Present tense (sadašnje vrijeme)	Aorist tense (Aorist)	Imperfect tense (Imperfekt)
Ja imam	Ja imadoh	Jaimah
Ti imaš	Ti imade	Ti imaše
On/ona/ono ima	On/ona/ono imade	On/ ona/ono imaše
Mi imamo	Mi imadosmo	Mi imasmo
Vi imate	Vi imadoste	Vi imaste
Oni/one imaju	Oni/oneimadoše	Oni/ one imahu
Past tense (Perfekt)	**Pluperfect (Pluskvamperfekat)**	**Future tense (Futur I)**
Ja sam imao/imala	Ja sam bio imao/bila imala	Ja ću imati
Ti si imao/imala	Ti sibioimao/bila imala	Ti ćeš imati
Onje imao	Onje bio imao	On/ona/ono će imati
Ona je imala	Ona je bila imala	Mi ćemo imati
Ono je imalo	Ono je bilo imalo	Vi ćete imati
Mi smo imali	Mi smo bili imali	Oni/one će imati
Vi ste imali	Vi ste bili imali	
Oni su imali/One su imale	Oni su bili imali/One su bile imale	
Future tense (Futur II)	**Imperative (imperativ)**	**Conditional I (Potencijal I)**
Budem imao/imala	------------	Ja bih imao/imala
Budeš imao/imala	Imaj	Ti bi imao/imala
Bude imao/imala/imalo	------------	On bi imao/Ona bi imala/Ono bi imalo
Budemo imali	Imajmo	Mi bismo imali
Budete imali	Imajte	Vi biste imali
Budu imali/imale	------------	Oni bi imali/One bi imale

Conditional II (Potencijal II)	
Ja bih bio imao/bila imala	Mi bismo bili imali
Ti bi bio imao/bila imala	Vi biste bili imali
On bi bio imao	Oni bi bili imali
Ona bi bila imala	One bi bile imale
Ono bi bilo imalo	Ona bi bila imala

Verbal adjective active	Male	Female	Neutral
Singular	Imao	Imala	Imalo
Plural	Imali	Imale	Imala

Verbal adjective passive	Male	Female	Neutral
Singular	------	-------	-------
Plural	------	-------	-------

Transgressive (Present Verbal adverb)	Imajući
Transgressive (Past Verbal adverb)	Imavši
Verbal noun	Imanje

Perfective aspect of the verb	-------------	-------------
Imperfective aspect of the verb	Imati	Ee-mah-tee

43. To hear (Čuti)- Choo-tee

Present tense (sadašnje vrijeme)	Aorist tense (Aorist)	Imperfect tense (Imperfekt)
Ja čujem	Ja čuh	Ja čujah
Ti čuješ	Ti ču	Ti čujaše
On/ona/ono čuje	On/ona/ono ču	On/ ona/ono čujaše
Mi čujemo	Mi čusmo	Mi čujasmo
Vi čujete	Vi čuste	Vi čujaste
Oni/one čuju	Oni/one čuše	Oni/ one čujahu
Past tense (Perfekt)	**Pluperfect (Pluskvamperfekat)**	**Future tense (Futur I)**
Ja sam čuo/čula	Ja sam bio čuo/bila čula	Ja ću čuti
Ti si čuo/čula	Ti sibio čuo/bila čula	Ti ćeš čuti
On je čuo	On je bio čuo	On/ona/ono će čuti
Ona je čula	Ona je bila čula	Mi ćemo čuti
Ono je čulo	Ono je bilo čulo	Vi ćete čuti
Mi smo čuli	Mi smo bili čuli	Oni/one će čuti
Vi ste čuli	Vi ste bili čuli	
Oni su čuli/One su čule	Oni su bili čuli/One su bile čule	
Future tense (Futur II)	**Imperative (imperativ)**	**Conditional I (Potencijal I)**
Budem čuo/čula	-------------	Ja bih čuo/čula
Budeš čuo/čula	Čuj	Ti bi čuo/čula
Bude čuo/čula/čulo	------------	On bi čuo/Ona bi čula/Ono bi čulo
Budemo čuli	Čujmo	Mi bismo čuli
Budete čuli	Čujte	Vi biste čuli
Budu čuli	-------------	Oni bi čuli/One bi čule

Conditional II (Potencijal II)	
Ja bih bio čuo/bila čula	Mi bismo bili čuli
Ti bi bio čuo/bila čula	Vi biste bili čuli
On bi bio čuo	Oni bi bili čuli
Ona bi bila čula	One bi bile čule
Ono bi bilo čulo	Ona bi bila čula

Verbal adjective active	Male	Female	Neutral
Singular	Čuo	Čula	Čulo
Plural	Čuli	Čule	Čula

Verbal adjective passive	Male	Female	Neutral
Singular	čuven	Čuvena	Čuveno
Plural	Čuveni	Čuvene	Čuvena

Transgressive (Present Verbal adverb)	Čujući
Transgressive (Past Verbal adverb)	Čuvši
Verbal noun	Čuvenje

Perfective aspect of the verb	Čuti	Choo-tee
Imperfective aspect of the verb	Čuti	Choo-tee

44. To help (Pomoći) –Poh-moh-tchee

Present tense (sadašnje vrijeme)	Aorist tense (Aorist)	Imperfect tense (Imperfekt)
Ja pomognem/pomažem	Ja pomogoh	Ja pomagah
Ti pomogneš/pomažeš	Ti pomože	Ti pomagaše
On/ona/ono pomogne/pomaže	On/ona/ono pomože	On/ ona/ono pomagaše
Mi pomognemo/pomažemo	Mi pomogosmo	Mi pomagasmo
Vi pomognete/pomažete	Vi pomogoste	Vi pomagaste
Oni/one pomognu/pomažu	Oni/one pomogoše	Oni/ one pomagahu

Past tense (Perfekt)	Pluperfect (Pluskvamperfekat)	Future tense (Futur I)
Ja sam pomogao/pomogla	Ja sam bio pomogao/bila pomogla	Ja ću pomoći
Ti si pomogao/pomogla	Ti sibio pomogao/bila pomogla	Ti ćeš pomoći
On je pomogao	On je bio pomogao	On/ona/ono će pomoći
Ona je pomogla	Ona je bila pomogla	Mi ćemo pomoći
Ono je pomoglo	Ono je bilo pomoglo	Vi ćete pomoći
Mi smo pomogli	Mi smo bili pomogli	Oni/one će pomoći
Vi ste pomogli	Vi ste bili pomogli	
Oni su pomogli/One su pomogle	Oni su bili pomogli/One su bile pomogle	

Future tense (Futur II)	Imperative (imperativ)	Conditional I (Potencijal I)
Budem pomogao/pomogla	-------------	Ja bih pomogao/pomogla
Budeš pomogao/pomogla	Pomozi	Ti bi pomogao/pomogla
Bude pomogao/pomogla/pomoglo	------------	On bi pomogao/Ona bi pomogla/Ono bi pomoglo
Budemo pomogli	Pomozimo	Mi bismo pomogli
Budete pomogli	Pomozite	Vi biste pomogli
Budu pomogli	------------	Oni bi pomogli/One bi pomogle

Conditional II (Potencijal II)	
Ja bih bio pomogao/bila pomogla	Mi bismo bili pomogli
Ti bi bio pomogao/bila pomogla	Vi biste bili pomogli
On bi bio pomogao	Oni bi bili pomogli
Ona bi bila pomogla	One bi bile pomogle
Ono bi bilo pomoglo	Ona bi bila pomogla

Verbal adjective active	Male	Female	Neutral
Singular	Pomogao	Pomogla	Pomoglo
Plural	Pomogli	Pomogle	Pomogla

Verbal adjective passive	Male	Female	Neutral
Singular	Pomognut	Pomognuta	Pomognuto
Plural	Pomognuti	Pomognute	Pomognuta

Transgressive (Present Verbal adverb)	Pomažući
Transgressive (Past Verbal adverb)	Pomogavši
Verbal noun	Pomaganje

Perfective aspect of the verb	Pomoći	Poh-moh-tchee
Imperfective aspect of the verb	Pomagati	Poh-mah-gah-nye

45. To hold (Držati) Dr-zhah-tee

Present tense (sadašnje vrijeme)	Aorist tense (Aorist)	Imperfect tense (Imperfekt)
Ja držim	Ja držah	Ja držah
Ti držiš	Ti drža	Ti držaše
On/ona/ono drži	On/ona/ono drža	On/ ona/ono držaše
Mi držimo	Mi držasmo	Mi držasmo
Vi držite	Vi držaste	Vi držaste
Oni/one drže	Oni/one držaše	Oni/ one držahu

Past tense (Perfekt)	Pluperfect (Pluskvamperfekat)	Future tense (Futur I)
Ja sam držao/držala	Ja sam bio držao/bila držala	Ja ću držati
Ti si držao/držala	Ti sibio držao/bila držala	Ti ćeš držati
On je držao	On je bio držao	On/ona/ono će držati
Ona je držala	Ona je bila držala	Mi ćemo držati
Ono je držalo	Ono je bilo držalo	Vi ćete držati
Mi smo držali	Mi smo bili držali	Oni/one će držati
Vi ste držali	Vi ste bili držali	
Oni su držali/One su držale	Oni su bili držali/One su bile držale	

Future tense (Futur II)	Imperative (imperativ)	Conditional I (Potencijal I)
Budem držao/držala	------------	Ja bih držao/držala
Budeš držao/držala	Drži	Ti bi držao/držala
Bude držao/držala/držalo	------------	On bi držao/Ona bi držala/Ono bi držalo
Budemo držali	Držimo	Mi bismo držali
Budete držali	Držite	Vi biste držali
Budu držali	------------	Oni bi držali/One bi držale

Conditional II (Potencijal II)	
Ja bih bio držao/bila držala	Mi bismo bili držali
Ti bi bio držao/bila držala	Vi biste bili držali
On bi bio držao	Oni bi bili držali
Ona bi bila držala	One bi bile držale
Ono bi bilo držalo	Ona bi bila držala

Verbal adjective active	Male	Female	Neutral
Singular	Držao	Držala	Držalo
Plural	Držali	Držale	Držala

Verbal adjective passive	Male	Female	Neutral
Singular	Držan	Držana	Držano
Plural	Držani	Držane	Držana

Transgressive (Present Verbal adverb)	Držeći
Transgressive (Past Verbal adverb)	Državši
Verbal noun	Držanje

Perfective aspect of the verb	------------Izdržati	------------
Imperfective aspect of the verb	Držati	Dr-zhah-tee

46.   To increase (Povećati)- Poh-veh-tchah-tee

Present tense (sadašnje vrijeme)	Aorist tense (Aorist)	Imperfect tense (Imperfekt)
Ja povećam	Ja povećah	Ja povećah
Ti povećaš	Ti poveća	Ti povećaše
On/ona/ono poveća	On/ona/ono poveća	On/ ona/ono povećaše
Mi povećamo	Mi povećasmo	Mi povećasmo
Vi povećate	Vi povećaste	Vi povećaste
Oni/one povećaju	Oni/one povećaše	Oni/ one povećahu
Past tense (Perfekt)	**Pluperfect (Pluskvamperfekat)**	**Future tense (Futur I)**
Ja sam povećao/povećala	Ja sam bio povećao/bila povećala	Ja ću povećati
Ti si povećao/povećala	Ti sibio povećao/bila povećala	Ti ćeš povećati
On je povećao	On je bio povećao	On/ona/ono će povećati
Ona je povećala	Ona je bila povećala	Mi ćemo povećati
Ono je povećalo	Ono je bilo povećalo	Vi ćete povećati
Mi smo povećali	Mi smo bili povećali	Oni/one će povećati
Vi ste povećali	Vi ste bili povećali	
Oni su povećali/One su povećale	Oni su bili povećali/One su bile povećale	
Future tense (Futur II)	**Imperative (imperativ)**	**Conditional I (Potencijal I)**
Budem povećao/povećala	------------	Ja bih povećao/povećala
Budeš povećao/povećala	Povećaj	Ti bi povećao/povećala
Bude povećao/povećala/povećalo	------------	On bi povećao/Ona bi povećala/Ono bi povećalo
Budemo povećali	Povećajmo	Mi bismo povećali
Budete povećali	Povećajte	Vi biste povećali
Budu povećali	------------	Oni bi povećali/One bi povećale

Conditional II (Potencijal II)	
Ja bih bio povećao/bila povećala	Mi bismo bili povećali
Ti bi bio povećao/bila povećala	Vi biste bili povećali
On bi bio povećao	Oni bi bili povećali
Ona bi bila povećala	One bi bile povećale
Ono bi bilo povećalo	Ona bi bila povećala

Verbal adjective active	Male	Female	Neutral
Singular	Povećao	Povećala	Povećalo
Plural	Povećali	Povećale	Povećala

Verbal adjective passive	Male	Female	Neutral
Singular	Povećan	Povećana	Povećano
Plural	Povećani	Povećane	Povećana

Transgressive (Present Verbal adverb)	Povećajući
Transgressive (Past Verbal adverb)	Povećavši
Verbal noun	Povećanje

Perfective aspect of the verb	Povećati	Poh-veh-tchah-tee
Imperfective aspect of the verb	Poveća+va+ti	Poh-veh-tchah-vah-tee

47. To introduce (Predstaviti) Pred-stah-vee-tee

Present tense (sadašnje vrijeme)	Aorist tense (Aorist)	Imperfect tense (Imperfekt)
Ja predstavim/predstavljam	Ja predstavih	Ja predstavljah
Ti predstaviš/predstavljam	Ti predstavi	Ti predstavljaše
On/ona/ono predstavi/predstavlja	On/ona/ono predstavi	On/ ona/ono predstavljaše
Mi predstavimo/predstavljamo	Mi predstavismo	Mi predstavljasmo
Vi predstavite/predstavljate	Vi predstavi	Vi predstavljaste
Oni/one predstave/predstavljaju	Oni/one predstaviše	Oni/ one predstavljahu
Past tense (Perfekt)	**Pluperfect (Pluskvamperfekat)**	**Future tense (Futur I)**
Ja sam predstavio/predstavila	Ja sam bio predstavio/bila predstavila	Ja ću predstaviti
Ti si predstavio/predstavila	Ti sibio predstavio/bila predstavila	Ti ćeš predstaviti
On je predstavio	On je bio predstavio	On/ona/ono će predstaviti
Ona je predstavila	Ona je bila predstavila	Mi ćemo predstaviti
Ono je predstavilo	Ono je bilo predstavilo	Vi ćete predstaviti
Mi smo predstavili	Mi smo bili predstavili	Oni/one će predstaviti
Vi ste predstavili	Vi ste bili predstavili	
Oni su predstavili/One su predstavile	Oni su bili predstavili/One su bile predstavile	
Future tense (Futur II)	**Imperative (imperativ)**	**Conditional I (Potencijal I)**
Budem predstavio/predstavila	------------	Ja bih predstavio/predstavila
Budeš predstavio/predstavila	Predstavi	Ti bi predstavio/predstavila
Bude predstavio/predstavila/predstavilo	------------	On bi predstavio/Ona bi predstavila/Ono bi predstavilo
Budemo predstavili	Predstavimo	Mi bismo prestavili
Budete predstavili	Predstavite	Vi biste prestavili
Budu predstavili	------------	Oni bi prestavili/One bi predstavile

Conditional II (Potencijal II)	
Ja bih bio predstavio/bila predstavila	Mi bismo bili predstavili
Ti bi bio predstavio/bila predstavila	Vi biste bili predstavili
On bi bio predstavio	Oni bi bili predstavili
Ona bi bila predstavila	One bi bile predstavile
Ono bi bilo predstavilo	Ona bi bila predstavila

Verbal adjective active	Male	Female	Neutral
Singular	Predstavio	Predstavila	Predstavilo
Plural	Predstavili	Predstavile	Predstavila

Verbal adjective passive	Male	Female	Neutral
Singular	Predstavljen	Predstavljena	Predstavljeno
Plural	Predstavljeni	Predstavljene	Predstavljena

Transgressive (Present Verbal adverb)	Predstavljajući
Transgressive (Past Verbal adverb)	Predstavivši
Verbal noun	**Predstavljanje**

Perfective aspect of the verb	Predstaviti	Pred-stah-vee-tee
Imperfective aspect of the verb	Predstav+lja+ti	Pred-stah-vlyah-tee

48. To invite (Pozvati)-Poz-vah-tee

Present tense (sadašnje vrijeme)	Aorist tense (Aorist)	Imperfect tense (Imperfekt)
Ja pozovem/pozivam	Ja pozvah	Japozivah
Ti pozoveš/pozivaš	Ti pozva	Ti pozivaše
On/ona/ono pozove/poziva	On/ona/ono pozva	On/ ona/ono pozivaše
Mi pozovemo/pozivamo	Mi pozvasmo	Mi pozivasmo
Vipozovete/pozivate	Vi pozvaste	Vi pozivaste
Oni/one pozovu/pozivaju	Oni/one pozvaše	Oni/ one pozivahu
Past tense (Perfekt)	**Pluperfect (Pluskvamperfekat)**	**Future tense (Futur I)**
Ja sam pozvao/pozvala	Ja sam bio pozvao/bila pozvala	Ja ću pozvati
Ti si pozvao/pozvala	Ti sibiopozvao/bila pozvala	Ti ćeš pozvati
On je pozvao	On je bio pozvao	On/ona/ono će pozvati
Ona je pozvala	Ona je bila pozvala	Mi ćemo pozvati
Ono je pozvalo	Ono je bilo pozvalo	Vi ćete pozvati
Mi smo pozvali	Mi smo bili pozvali	Oni/one će pozvati
Vi ste pozvali	Vi ste bili pozvali	
Oni su pozvali/One su pozvale	Oni su bili pozvali/One su bile pozvale	
Future tense (Futur II)	**Imperative (imperativ)**	**Conditional I (Potencijal I)**
Budem pozvao/pozvala	------------	Ja bih pozvao/pozvala
Budeš pozvao/pozvala	Pozovi	Ti bi pozvao/pozvala
Bude pozvao/pozvala/pozvalo	------------	On bi pozvao/Ona bi pozvala/Ono bi pozvalo
Budemo pozvali	Pozovimo	Mi bismo pozvali
Budete pozvali	Pozovite	Vi biste pozvali
Budu pozvali	------------	Oni bi pozvali/One bi pozvale

Conditional II (Potencijal II)	
Ja bih bio pozvao/bila pozvala	Mi bismo bili pozvali
Ti bi bio pozvao/bila pozvala	Vi biste bili pozvali
On bi bio pozvao	Oni bi bili pozvali
Ona bi bila pozvao	One bi bile pozvale
Ono bi bilo pozvalo	Ona bi bila pozvala

Verbal adjective active	Male	Female	Neutral
Singular	Pozvao	Pozvala	Pozvalo
Plural	Pozvali	Pozvale	Pozvala

Verbal adjective passive	Male	Female	Neutral
Singular	Pozvan	Pozvana	Pozvano
Plural	Pozvani	Pozvane	Pozvana

Transgressive (Present Verbal adverb)	Pozivajući
Transgressive (Past Verbal adverb)	Pozvavši
Verbal noun	Pozivanje

Perfective aspect of the verb	Pozvati	Poz-vah-tee
Imperfective aspect of the verb	Pozi+va+ti	Poh-zee-vah-tee

49. To kill (Ubiti) –Oo-bee-tee

Present tense (sadašnje vrijeme)	Aorist tense (Aorist)	Imperfect tense (Imperfekt)
Ja ubijem/ubijam	Ja ubih	Ja ubijah
Ti ubiješ/ubijaš	Ti ubi	Ti ubijaše
On/ona/ono ubije/ubija	On/ona/ono ubi	On/ ona/ono ubijaše
Mi ubijemo/ubijamo	Mi ubismo	Mi ubijamo
Vi ubijete/ubijate	Vi ubiste	Vi ubijaste
Oni/one ubiju/ubijaju	Oni/one ubiše	Oni/ one ubijahu

Past tense (Perfekt)	Pluperfect (Pluskvamperfekat)	Future tense (Futur I)
Ja sam ubio/ubila	Ja sam bio ubio/bila ubila	Ja ću ubiti
Ti si ubio/ubila	Ti sibio ubio/bila ubila	Ti ćeš ubiti
On je ubio	On je bio ubio	On/ona/ono će ubiti
Ona je ubila	Ona je bila ubila	Mi ćemo ubiti
Ono je ubilo	Ono je bilo ubilo	Vi ćete ubiti
Mi smo ubili	Mi smo bili ubili	Oni/one će ubiti
Vi ste ubili	Vi ste bili ubili	
Oni su ubili/One su ubile	Oni su bili ubili/One su bile ubile	

Future tense (Futur II)	Imperative (imperativ)	Conditional I (Potencijal I)
Budem ubio/ubila	------------	Ja bih ubio/ubila
Budeš ubio/ubila	Ubij	Ti bi ubio/ubila
Bude ubio/ubila/ubilo	------------	On bi ubio/Ona bi ubila/Ono bi ubilo
Budemo ubili	Ubijmo	Mi bismo ubili
Budete ubili	Ubijte	Vi biste ubili
Budu ubili	------------	Oni bi ubili/One bi ubile

Conditional II (Potencijal II)	
Ja bih bio ubio/bila ubila	Mi bismo bili ubili
Ti bi bio ubio/bila ubila	Vi biste bili ubili
On bi bio ubio	Oni bi bili ubili
Ona bi bila ubila	One bi bile ubile
Ono bi bilo ubilo	Ona bi bila ubila

Verbal adjective active	Male	Female	Neutral
Singular	Ubio	Ubila	Ubilo
Plural	Ubili	Ubile	Ubila

Verbal adjective passive	Male	Female	Neutral
Singular	Ubijen	Ubijena	Ubijeno
Plural	Ubijeni	Ubijene	Ubijena

Transgressive (Present Verbal adverb)	Ubijajući
Transgressive (Past Verbal adverb)	Ubivši
Verbal noun	**Ubijanje**

Perfective aspect of the verb	Ubiti	Oo-bee-tee
Imperfective aspect of the verb	Ubi+ja+ti	Oo-bee-yah-tee

50. To kiss (Poljubiti/ljubiti)- Poh-lyoo-bee-tee

Present tense (sadašnje vrijeme)	Aorist tense (Aorist)	Imperfect tense (Imperfekt)
Ja (po)ljubim	Ja poljubih	Ja ljubljah
Ti (po)ljubiš	Ti poljubi	Ti ljubiše
On/ona/ono (po)ljubi	On/ona/ono poljubi	On/ ona/ono ljubiše
Mi (po)ljubimo	Mi poljubismo	Mi ljubismo
Vi(po)ljubite	Vi poljubiste	Vi ljubiste
Oni/one (po)ljube	Oni/onepoljubiše	Oni/ one ljubljahu
Past tense (Perfekt)	**Pluperfect (Pluskvamperfekat)**	**Future tense (Futur I)**
Ja sam (po)ljubio/(po)ljubila	Ja sam bio (po)ljubio/bila (po)ljubila	Ja ću (po)ljubiti
Ti si (po)ljubio/(po)ljubila	Ti si bio(po)ljubio/bila (po)ljubila	Ti ćeš (po)ljubiti
On je (po)ljubio	On je bio (po)ljubio	On/ona/ono će (po)ljubiti
Ona je (po)ljubila	Ona je bila (po)ljubila	Mi ćemo (po)ljubiti
Ono je (po)ljubilo	Ono je bilo (po)ljubilo	Vi ćete (po)ljubiti
Mi smo (po)ljubili	Mi smo bili (po)ljubili	Oni/one će (po)ljubiti
Vi ste (po)ljubili	Vi ste bili (po)ljubili	
Oni su (po)ljubili/One su (po)ljubile	Oni su bili (po)ljubili/One su bile (po)ljubile	
Future tense (Futur II)	**Imperative (imperativ)**	**Conditional I (Potencijal I)**
Budem (po)ljubio/(po)ljubila	------------	Ja bih (po)ljubio/(po)ljubila
Budeš (po)ljubio/(po)ljubila	(po)ljubi	Ti bi (po)ljubio/(po)ljubila
Bude (po)ljubio/(po)ljubila/(po)ljubilo	------------	On bi (po)ljubio/Ona bi (po)ljubila/Ono bi (po)ljubilo
Budemo (po)ljubili	(po)ljubimo	Mi bismo (po)ljubili
Budete (po)ljubili	(po)ljubite	Vi biste (po)ljubili
Budu (po)ljubili	------------	Oni bi (po)ljubili/One bi (po)ljubile

Conditional II (Potencijal II)	
Ja bih bio (po)ljubio/bila poljubila	Mi bismo bili (po)ljubili
Ti bi bio (po)ljubio/bila (po)ljubila	Vi biste bili (po)ljubili
On bi bio (po)ljubio	Oni bi bili (po)ljubili
Ona bi bila (po)ljubila	One bi bile (po)ljubile
Ono bi bilo (po)ljubilo	Ona bi bila (po)ljubila

Verbal adjective active	Male	Female	Neutral
Singular	(Po)ljubio	(Po)ljubila	(Po)ljubilo
Plural	(Po)ljubili	(Po)ljubile	(Po)ljubila

Verbal adjective passive	Male	Female	Neutral
Singular	Poljubljen	Poljubljena	Poljubljeno
Plural	Poljubljeni	Poljubljene	Poljubljena

Transgressive (Present Verbal adverb)	Ljubeći
Transgressive (Past Verbal adverb)	Poljubivši
Verbal noun	Ljubljenje

Perfective aspect of the verb	Po+ljubiti	Poh-lyoo-bee-tee
Imperfective aspect of the verb	Ljubiti	Lyoo-bee-tee

51. To know (Znati)- Znah-tee

Present tense (sadašnje vrijeme)	Aorist tense (Aorist)	Imperfect tense (Imperfekt)
Ja znam	Ja znah	Ja znah
Ti znaš	Ti zna	Ti znaše
On/ona/ono zna	On/ona/ono zna	On/ ona/ono znaše
Mi znamo	Mi znadosmo	Mi znasmo
Vi znate	Vi znadoste	Vi znaste
Oni/one znaju	Oni/one znaše	Oni/ one znahu
Past tense (Perfekt)	**Pluperfect (Pluskvamperfekat)**	**Future tense (Futur I)**
Ja sam znao/znala	Ja sam bio znao/bila znala	Ja ću znati
Ti si znao/znala	Ti sibio znao/bila znala	Ti ćeš znati
On je znao	On je bio znao	On/ona/ono će znati
Ona je znala	Ona je bila znala	Mi ćemo znati
Ono je znalo	Ono je bilo znalo	Vi ćete znati
Mi smo znali	Mi smo bili znali	Oni/one će znati
Vi ste znali	Vi ste bili znali	
Oni su znali/One su znale	Oni su bili znali/One su bile znale	
Future tense (Futur II)	**Imperative (imperativ)**	**Conditional I (Potencijal I)**
Budem znao/znala	------------	Ja bih znao/znala
Budeš znao/znala	Znaj	Ti bi znao/znala
Bude znao/znala/znalo	------------	On bi znao/Ona bi znala/Ono bi znalo
Budemo znali	Znajmo	Mi bismo znali
Budete znali	Znajte	Vi biste znali
Budu znali	------------	Oni bi znali/One bi znale

Conditional II (Potencijal II)	
Ja bih bio znao/bila znala	Mi bismo bili znali
Ti bi bio znao/bila znala	Vi biste bili znali
On bi bio znao	Oni bi bili znali
Ona bi bila znala	One bi bile znale
Ono bi bilo znalo	Ona bi bila znala

Verbal adjective active	Male	Female	Neutral
Singular	Znao	Znala	Znalo
Plural	Znali	Znale	Znala

Verbal adjective passive	Male	Female	Neutral
Singular	Znan	Znana	Znano
Plural	Znani	Znane	Znana

Transgressive (Present Verbal adverb)	Znajući
Transgressive (Past Verbal adverb)	Znavši
Verbal noun	Znanje

Perfective aspect of the verb	------------	-----------
Imperfective aspect of the verb	Znati	Znah-tee

52. To laugh (Smijati se) – Smee-yah-tee seh

Present tense (sadašnje vrijeme)	Aorist tense (Aorist)	Imperfect tense (Imperfekt)
Ja se smijem	Ja se nasmijah	Ja se smijah
Ti se smiješ	Ti se nasmija	Ti se smijaše
On/ona/ono se smije	On/ona/ono se nasmija	On/ ona/ono se smijaše
Mi se smijemo	Mi se nasmijasmo	Mi se smijasmo
Vi se smijete	Vi se nasmijaste	Vi se smijaste
Oni/one se smiju	Oni/one se nasmijaše	Oni/ one se smijahu

Past tense (Perfekt)	Pluperfect (Pluskvamperfekat)	Future tense (Futur I)
Ja sam se smijao/se smijala	Ja sam se bio smijao/bila smijala	Ja ću se smijati
Ti si se smijao/se smijala	Ti si se bio smijao/bila smijala	Ti ćeš se smijati
On se smijao	On se bio smijao	On/ona/ono će se smijati
Ona se smijala	Ona se bila smijala	Mi ćemo se smijati
Ono se smijalo	Ono se bilo smijalo	Vi ćete se smijati
Mi smo se smijali	Mi smo se bili smijali	Oni/one će se smijati
Vi ste se smijali	Vi ste se bili smijali	
Oni su se smijale/One su se smijale	Oni su se bili smijali/One su se bile smijale	

Future tense (Futur II)	Imperative (imperativ)	Conditional I (Potencijal I)
Budem se smijao/smijala	-------------	Ja bih se smijao/se smijala
Budeš se smijao/smijala	Smij se	Ti bi se smijao/smijala
Bude se smijao/smijala/smijalo	------------	On bi se smijao/Ona bi se smijala/Ono bi se smijalo
Budemo se smijali	Smijmo se	Mi bismo se smijali
Budete se smijali	Smijte se	Vi biste se smijali
Budu se smijali	------------	Oni bi se smijali/One bi se smijale

Conditional II (Potencijal II)	
Ja bih se bio smijao/bila smijala	Mi bismose bili smijali
Ti bise bio smijao/bila smijala	Vi biste se bili smijali
On bi se bio smijao	Oni bi se bili smijali
Ona bi se bila smijala	One bi se bile smijale
Ono bi se bilo smijalo	Ona bi se bila smijala

Verbal adjective active	Male	Female	Neutral
Singular	Smijao	Smijala	Smijalo
Plural	Smijali	Smijale	Smijala

Verbal adjective passive	Male	Female	Neutral
Singular	Nasmijan	Nasmijana	Nasmijano
Plural	Nasmijani	Nasmijane	Nasmijana

Transgressive (Present Verbal adverb)	Smijući
Transgressive (Past Verbal adverb)	Smijavši
Verbal noun	Smijanje

Perfective aspect of the verb	Na + smijati se	Nah-smee-yah-tee seh
Imperfective aspect of the verb	Smijati se	Smee-yah-tee seh

53.   To learn (Učiti) –Oo-chee-tee

Present tense (sadašnje vrijeme)	Aorist tense (Aorist)	Imperfect tense (Imperfekt)
Ja učim	Ja učih	Jaučih
Ti učiš	Ti uči	Ti učiše
On/ona/ono uči	On/ona/ono uči	On/ ona/ono učiše
Mi učimo	Mi učismo	Mi učismo
Vi učite	Vi učiste	Vi učiste
Oni/one uče	Oni/one učaše	Oni/ one učahu

Past tense (Perfekt)	Pluperfect (Pluskvamperfekat)	Future tense (Futur I)
Ja sam učio/učila	Ja sam bioučio/bila učila	Ja ću učiti
Ti si učio/učila	Ti sibioučio/bila učila	Ti ćešučiti
On je učio	On je bio učio	On/ona/ono će učiti
Ona je učila	Ona je bila učila	Mi ćemo učiti
Ono je učilo	Ono je bilo učilo	Vi ćete učiti
Mi smo učili	Mi smo bili učili	Oni/one će učiti
Vi ste učili	Vi ste bili učili	
Oni su učili/One su učile	Oni su bili učili/One su bile učile	

Future tense (Futur II)	Imperative (imperativ)	Conditional I (Potencijal I)
Budem učio/učila	------------	Ja bih učio/učila
Budeš učio/učila	Uči	Ti bi učio/učila
Bude učio/učila/učilo	------------	On bi učio/Ona bi učila/Ono bi učilo
Budemo učili	Učimo	Mi bismo učili
Budete učili	Učite	Vi biste učili
Budu učili	------------	Oni bi učili/One bi učile

Conditional II (Potencijal II)	
Ja bih bio učio/bila učila	Mi bismo bili učili
Ti bi bio učio/bila učila	Vi biste bili učili
On bi bio učio	Oni bi bili učili
Ona bi bila učila	One bi bile učile
Ono bi bilo učilo	Ona bi bila učila

Verbal adjective active	Male	Female	Neutral
Singular	Učio	Učila	Učilo
Plural	Učili	Učile	Učila

Verbal adjective passive	Male	Female	Neutral
Singular	Učen	Učena	Učeno
Plural	Učeni	Učene	Učena

Transgressive (Present Verbal adverb	Učeći
Transgressive (Past Verbal adverb)	Učivši
Verbal noun	Učenje

Perfective aspect of the verb	Na + učiti	Nah-oochee-tee
Imperfective aspect of the verb	Učiti	Oo-chee-tee

54. To lie down (Leći) –Leh-tchee

Present tense (sadašnje vrijeme)	Aorist tense (Aorist)	Imperfect tense (Imperfekt)
Ja ležim	Ja legoh	Jaležah
Ti ležiš	Ti leže	Ti ležaše
On/ona/ono leži	On/ona/ono leže	On/ ona/ono ležaše
Mi ležimo	Mi legosmo	Mi ležasmo
Vi ležite	Vi legoste	Vi ležaste
Oni/one leže	Oni/one legoše	Oni/ one ležahu
Past tense (Perfekt)	**Pluperfect (Pluskvamperfekat)**	**Future tense (Futur I)**
Ja sam ležao/ležala	Ja sam bioležao/bila ležala	Ja ću ležati
Ti si ležao/ležala	Ti sibioležao/bila ležala	Ti ćešležati
On je ležao	On je bio ležao	On/ona/ono će ležati
Ona je ležala	Ona je bila ležala	Mi ćemo ležati
Ono je ležalo	Ono je bilo ležalo	Vi ćete ležati
Mi smo ležali	Mi smo bili ležali	Oni/one će ležati
Vi ste ležali	Vi ste bili ležali	
Oni su ležali/One su ležale	Oni su bili ležali/One su bile ležale	
Future tense (Futur II)	**Imperative (imperativ)**	**Conditional I (Potencijal I)**
Budem ležao/ležala	------------	Ja bih ležao/ležala
Budeš ležao/ležala	Lezi	Ti bi ležao/ležala
Bude ležao/ležala/ležalo	-----------	On bi ležao/Ona bi ležala/Ono bi ležalo
Budemo ležali	Lezimo	Mi bismo ležali
Budete ležali	Lezite	Vi biste ležali
Budu ležali	------------	Oni bi ležali/One bi ležale

Conditional II (Potencijal II)	
Ja bih bio ležao/bila ležala	Mi bismo bili ležali
Ti bi bio ležao/bila ležala	Vi biste bili ležali
On bi bio ležao	Oni bi bili ležali
Ona bi bila ležala	One bi bile ležale
Ono bi bilo ležalo	Ona bi bila ležala

Verbal adjective active	Male	Female	Neutral
Singular	Ležao	Ležala	Ležalo
Plural	Ležali	Ležale	Ležala

Verbal adjective passive	Male	Female	Neutral
Singular	Legnut	Legnuta	Legnuto
Plural	Legnuti	Legnute	Legnuta

Transgressive (Present Verbal adverb)	Ležeći
Transgressive (Past Verbal adverb)	Legavši
Verbal noun	Ležanje

Perfective aspect of the verb	Leći	Leh-tchee
Imperfective aspect of the verb	Le + ža +ti	Leh-zhah-tee

55. To like (Sviđati se) –Svee-jah-tee seh

Present tense (sadašnje vrijeme)	Aorist tense (Aorist)	Imperfect tense (Imperfekt)
Ja se sviđam	Ja se svidjeh	Ja se sviđah
Ti se sviđaš	Ti se svidje	Ti se sviđaše
On/ona/ono se sviđa	On/ona/ono se svidje	On/ ona/ono se sviđaše
Mi se sviđamo	Mi se svidjesmo	Mi se sviđasmo
Vi se sviđate	Vi se svidjeste	Vi se sviđaste
Oni/one se sviđaju	Oni/one se svidješe	Oni/ one se sviđahu

Past tense (Perfekt)	Pluperfect (Pluskvamperfekat)	Future tense (Futur I)
Ja sam se sviđao/sviđala	Ja sam se bio sviđao/bila sviđala	Ja ću se sviđati
Ti si se sviđao/sviđala	Ti si se bio sviđao/bila sviđala	Ti ćeš se sviđati
On se sviđao	On se bio sviđao	On/ona/ono će se sviđati
Ona se sviđala	Ona se bila sviđala	Mi ćemo se sviđati
Ono se sviđalo	Ono se bilo sviđalo	Vi ćete se sviđati
Mi smo se sviđali	Mi smo sebili sviđali	Oni/one će se sviđati
Vi ste se sviđali	Vi ste se bili sviđali	
Oni su se sviđali/One su se sviđale	Oni su se bili sviđali/One su se bile sviđale	

Future tense (Futur II)	Imperative (imperativ)	Conditional I (Potencijal I)
Budem se sviđao/sviđala	------------	Ja bih se sviđao/sviđala
Budeš se sviđao/sviđala	Sviđaj se	Ti bi se sviđao/sviđala
Bude se sviđao/sviđala/sviđalo	------------	On bi se sviđalo/Ona bi se sviđala/Ono bi se sviđalo
Budemo se sviđali	Sviđajmo se	Mi bismo se sviđali
Budete se sviđali	Sviđajte se	Vi biste se sviđali
Budu se sviđali	------------	Oni bi se sviđali/One bi se sviđale

Conditional II (Potencijal II)	
Ja bih se bio sviđao/bila sviđala	Mi bismo se bili sviđali
Ti bi se bio sviđao/bila sviđala	Vi biste se bili sviđali
On bi se bio sviđao	Oni bi se bili sviđali
Ona bi se bila sviđala	One bi se bile sviđale
Ono bi se bilo sviđalo	Ona bi se bila sviđala

Verbal adjective active	Male	Female	Neutral
Singular	Sviđao se	Sviđala se	Sviđalo se
Plural	Sviđali se	Sviđale se	Sviđala se

Verbal adjective passive	Male	Female	Neutral
Singular	------	-------	-------
Plural	------	-------	-------

Transgressive (Present Verbal adverb)	Sviđajući
Transgressive (Past Verbal adverb)	Svidjevši
Verbal noun	Sviđanje

Perfective aspect of the verb	Svidjeti se	Svee-dyeh-tee seh
Imperfective aspect of the verb	Sviđati se	Svee-jah-tee seh

56. To listen (Slušati)- Sloo-shah-tee

Present tense (sadašnje vrijeme)	Aorist tense (Aorist)	Imperfect tense (Imperfekt)
Ja slušam	Ja slušah	Ja slušah
Ti slušaš	Ti sluša	Ti slušaše
On/ona/ono sluša	On/ona/ono sluša	On/ ona/ono slušaše
Mi slušamo	Mi slušasmo	Mi slušasmo
Vi slušate	Vi slušaste	Vi slušaste
Oni/one slušaju	Oni/one slušaše	Oni/one slušahu
Past tense (Perfekt)	**Pluperfect (Pluskvamperfekat)**	**Future tense (Futur I)**
Ja sam slušao/slušala	Ja sam bio slušao/bila slušala	Ja ću slušati
Ti si slušao/slušala	Ti sibio slušao/bila slušala	Ti ćeš slušati
On je slušao	On je bio slušao	On/ona/ono će slušati
Ona je slušala	Ona je bila slušala	Mi ćemo slušati
Ono je slušalo	Ono je bilo slušalo	Vi ćete slušati
Mi smo slušali	Mi smo bili slušali	Oni/one će slušati
Vi ste slušali	Vi ste bili slušali	
Oni su slušali/One su slušale	Oni su bili slušali/One su bile slušale	
Future tense (Futur II)	**Imperative (imperativ)**	**Conditional I (Potencijal I)**
Budem slušao/slušala	------------	Ja bih slušao/slušala
Budeš slušao/slušala	Slušaj	Ti bi slušao/slušala
Bude slušao/slušala/slušalo	------------	On bi slušao /Ona bi slušala /Ono bi slušalo
Budemo slušali	Slušajmo	Mi bismo slušali
Budete slušali	Slušajte	Vi biste slušali
Budu slušali	------------	Oni bi slušali/One bi slušale

Conditional II (Potencijal II)	
Ja bih bio slušao/bila slušala	Mi bismo bili slušali
Ti bibio slušao/bila slušala	Vi biste bili slušali
On bi bio slušao	Oni bi bili slušali
Ona bi bila slušala	One bi bile slušale
Ono bi bilo slušalo	Ona bi bila slušala

Verbal adjective active	Male	Female	Neutral
Singular	Slušao	Slušala	Slušalo
Plural	Slušali	Slušale	Slušala

Verbal adjective passive	Male	Female	Neutral
Singular	Slušan	Slušana	Slušano
Plural	Slušani	Slušane	Slušana

Transgressive (Present Verbal adverb)	Slušajući
Transgressive (Past Verbal adverb)	Slušavši
Verbal noun	Slušanje

Perfective aspect of the verb	Po + slušati	Poh + sloo-shah-tee
Imperfective aspect of the verb	Slušati	Sloo-shah-tee

57. To live (Živjeti) Zhee-vyeh-tee

Present tense (sadašnje vrijeme)	Aorist tense (Aorist)	Imperfect tense (Imperfekt)
Ja živim	Ja živjeh	Ja življah
Ti živiš	Ti živje	Ti življaše
On/ona/ono živi	On/ona/ono živje	On/ ona/ono življaše
Mi živimo	Mi živjesmo	Mi življasmo
Vi živite	Vi živjeste	Vi življaste
Oni/one žive	Oni/one živješe	Oni/one življahu

Past tense (Perfekt)	Pluperfect (Pluskvamperfekat)	Future tense (Futur I)
Ja sam živio/živjela	Ja sam bio živio/bila živjela	Ja ću živjeti
Ti si živio/živjela	Ti sibio živio/bila živjela	Ti ćeš živjeti
On je živio	On je bio živio	On/ona/ono će živjeti
Ona je živjela	Ona je bila živjela	Mi ćemo živjeti
Ono je živjelo	Ono je bilo živjelo	Vi ćete živjeti
Mi smo živjeli	Mi smo bili živjeli	Oni/one će živjeti
Vi ste živjeli	Vi ste bili živjeli	
Oni su živjeli/One su živjele	Oni su bili živjeli/One su bile živjele	

Future tense (Futur II)	Imperative (imperativ)	Conditional I (Potencijal I)
Budem živio/živjela	------------	Ja bih živio/živjela
Budeš živio/živjela	Živi	Ti bi živio/živjela
Bude živio/živjela/živjelo	------------	On bi živio /Ona bi živjela/Ono bi živjelo
Budemo živjeli	Živimo	Mi bismo živjeli
Budete živjeli	Živite	Vi biste živjeli
Budu živjeli	------------	Oni bi živjeli/One bi živjele

Conditional II (Potencijal II)	
Ja bih bio živio/bila živjela	Mi bismo bili živjeli
Ti bi bio živio/bila živjela	Vi biste bili živjeli
On bi bio živio	Oni bi bili živjeli
Ona bi bila živjela	One bi bile živjele
Ono bi bilo živjelo	Ona bi bila živjela

Verbal adjective active	Male	Female	Neutral
Singular	Živio	Živjela	Živjelo
Plural	Živjeli	Živjele	Živjela

Verbal adjective passive	Male	Female	Neutral
Singular	Živ	Živa	Živo
Plural	Živi	Žive	Živa

Transgressive (Present Verbal adverb)	Živeći
Transgressive (Past Verbal adverb)	Živjevši
Verbal noun	Življenje

Perfective aspect of the verb	-------------	-------------
Imperfective aspect of the verb	Živjeti	Zhee-vyeh-tee

58. To lose (Izgubiti) Eez-goo-bee-tee

Present tense (sadašnje vrijeme)	Aorist tense (Aorist)	Imperfect tense (Imperfekt)
Ja izgubim	Ja izgubih	Ja izgubljah
Ti izgubiš	Ti izgubi	Ti izgubljaše
On/ona/ono izgubi	On/ona/ono izgubi	On/ ona/ono izgubljaše
Mi izgubimo	Mi izgubismo	Mi izgubljasmo
Vi izgubite	Vi izgubiste	Vi izgubljaste
Oni/one izgube	Oni/one izgubiše	Oni/one izgubljahu
Past tense (Perfekt)	**Pluperfect (Pluskvamperfekat)**	**Future tense (Futur I)**
Ja sam izgubio/izgubila	Ja sam bioizgubio/bila izgubila	Ja ću izgubiti
Ti si izgubio/izgubila	Ti sibioizgubio/bila izgubila	Ti ćešizgubiti
On je izgubio	On je bio izgubio	On/ona/ono će izgubiti
Ona je izgubila	Ona je bila izgubila	Mi ćemo izgubiti
Ono je izgubilo	Ono je bilo izgubilo	Vi ćete izgubiti
Mi smo izgubili	Mi smo bili izgubili	Oni/one će izgubiti
Vi ste izgubili	Vi ste bili izgubili	
Oni su izgubili/One su izgubile	Oni su bili izgubili/One su bile izgubile	
Future tense (Futur II)	**Imperative (imperativ)**	**Conditional I (Potencijal I)**
Budem izgubio/izgubila	------------	Ja bih izgubio/izgubila
Budeš izgubio/izgubila	Izgubi	Ti bi izgubio/izgubila
Bude izgubio/izgubila/izgubilo	------------	On bi izgubio /Ona bi izgubila/Ono bi izgubilo
Budemo izgubili	izgubimo	Mi bismo izgubili
Budete izgubili	izgubite	Vi biste izgubili
Budu izgubili	------------	Oni bi izgubili/One bi izgubile

Conditional II (Potencijal II)	
Ja bih bio izgubio/bila izgubila	Mi bismo bili izgubili
Ti bi bio izgubio/bila izgubila	Vi biste bili izgubili
On bi bio izgubio	Oni bi bili izgubili
Ona bi bila izgubila	One bi bile izgubile
Ono bi bilo izgubilo	Ona bi bila izgubila

Verbal adjective active	Male	Female	Neutral
Singular	Izgubio	Izgubila	Izgubilo
Plural	Izgubili	Izgubile	Izgubila

Verbal adjective passive	Male	Female	Neutral
Singular	Izgubljen	Izgubljena	Izgubljeno
Plural	Izgubljeni	Izgubljene	Izgubljena

Transgressive (Present Verbal adverb)	Gubeći
Transgressive (Past Verbal adverb)	Izgubivši
Verbal noun	**Izgubljen**

Perfective aspect of the verb	Iz + gubiti	Eez-goo-bee-tee
Imperfective aspect of the verb	Gubiti	Goo-bee-tee

59.   To love (Voljeti) –Voh-lyeh-tee

Present tense (sadašnje vrijeme)	Aorist tense (Aorist)	Imperfect tense (Imperfekt)
Ja volim	Ja voljeh	Ja voljah
Ti voliš	Ti volje	Ti voljaše
On/ona/ono voli	On/ona/ono volje	On/ ona/ono voljaše
Mi volimo	Mi voljesmo	Mi voljasmo
Vi volite	Vi voljeste	Vi voljaste
Oni/one vole	Oni/one volješe	Oni/one voljahu

Past tense (Perfekt)	Pluperfect (Pluskvamperfekat)	Future tense (Futur I)
Ja sam volio/voljela	Ja sam bio volio/bila voljela	Ja ću voljeti
Ti si volio/voljela	Ti sibio volio/bila voljela	Ti ćeš voljeti
On je volio Ona je voljela	On je bio volio	On/ona/ono će voljeti
Ono je voljelo	Ona je bila voljela	Mi ćemo voljeti
Mi smo voljeli	Ono je bilo voljelo	Vi ćete voljeti
Vi ste voljeli	Mi smo bili voljeli	Oni/one će voljeti
Oni su voljeli/One su voljele	Vi ste bili voljeli	
	Oni su bili voljeli/One su bile voljele	

Future tense (Futur II)	Imperative (imperativ)	Conditional I (Potencijal I)
Budem volio/voljela	------------	Ja bih volio/voljela
Budeš volio/voljela	Voli	Ti bi volio/voljela
Bude volio/voljela/voljelo	------------	On bi volio /Ona bi voljela/Ono bi voljelo
Budemo voljeli	Volimo	Mi bismo voljeli
Budete voljeli	Volite	Vi biste voljeli
Budu voljeli/voljele	------------	Oni bi voljeli/One bi voljele

Conditional II (Potencijal II)	
Ja bih bio volio/bila voljela	Mi bismo bili voljeli
Ti bi bio volio/bila voljela	Vi biste bili voljeli
On bi bio volio	Oni bi bili voljeli
Ona bi bila voljela	One bi bile voljele
Ono bi bilo voljelo	Ona bi bila voljela

Verbal adjective active	Male	Female	Neutral
Singular	Volio	Voljela	Voljelo
Plural	Voljeli	Voljele	Voljela

Verbal adjective passive	Male	Female	Neutral
Singular	Voljen	Voljena	Voljeno
Plural	Voljeni	Voljene	Voljena

Transgressive (Present Verbal adverb)	Voleći
Transgressive (Past Verbal adverb)	Volivši
Verbal noun	**Voljenje**

Perfective aspect of the verb	------------	------------
Imperfective aspect of the verb	Voljeti	Voh-lyeh-tee

60. To meet (Upoznati) Oo-poh-znah-tee

Present tense (sadašnje vrijeme)	Aorist tense (Aorist)	Imperfect tense (Imperfekt)
Ja upoznam/upoznajem	Ja upoznah	Ja upoznah
Ti upoznaš/upoznaješ	Ti upozna	Ti upoznaše
On/ona/ono upozna/upoznaje	On/ona/ono upozna	On/ ona/ono upoznaše
Mi upoznamo/upoznajemo	Mi upoznasmo	Mi upoznasmo
Vi upoznate/upoznajete	Vi upoznaste	Vi upoznaste
Oni/one upoznaju	Oni/one upoznaše	Oni/one upoznahu

Past tense (Perfekt)	Pluperfect (Pluskvamperfekat)	Future tense (Futur I)
Ja sam upoznao/upoznala	Ja sam bio upoznao/bila upoznala	Ja ću upoznati
Ti si upoznao/upoznala	Ti sibio upoznao/bila poznala	Ti ćešupoznati
On je upoznao	On je bio upoznao	On/ona/ono će upoznati
Ona je upoznala	Ona je bila upoznala	Mi ćemo upoznati
Ono je upoznalo	Ono je bilo upoznalo	Vi ćete upoznati
Mi smo upoznali	Mi smo bili upoznali	Oni/one će upoznati
Vi ste upoznali	Vi ste bili upoznali	
Oni su upoznali/One su upoznale	Oni su bili upoznali/One su bile upoznale	

Future tense (Futur II)	Imperative (imperativ)	Conditional I (Potencijal I)
Budem upoznao/upoznala	------------	Ja bih upoznao/upoznala
Budeš upoznao/upoznala	Upoznaj	Ti bi upoznao/upoznala
Bude upoznao/upoznala/upoznalo	------------	On bi upoznao/Ona bi upoznala/Ono bi upoznalo
Budemo upoznali	Upoznajmo	Mi bismo upoznali
Budete upoznali	Upoznajte	Vi biste upoznali
Budu upoznali/upoznale	------------	Oni bi upoznali/One bi upoznale

Conditional II (Potencijal II)	
Ja bih bio upoznao/bila upoznala	Mi bismo bili upoznali
Ti bi bio upoznao/bila upoznala	Vi biste bili upoznali
On bi bio upoznao	Oni bi bili upoznali
Ona bi bila upoznala	One bi bile upoznale
Ono bi bilo upoznalo	Ona bi bila upoznala

Verbal adjective active	Male	Female	Neutral
Singular	Upoznao	Upoznala	Upoznalo
Plural	Upoznali	Upoznale	Upoznala

Verbal adjective passive	Male	Female	Neutral
Singular	Upoznat	Upoznata	Upoznato
Plural	Upoznati	Upoznate	Upoznata

Transgressive (Present Verbal adverb)	Upoznajući
Transgressive (Past Verbal adverb)	Upoznavši
Verbal noun	**Upoznavanje**

Perfective aspect of the verb	Upoznati	Oo-poh-znah-tee
Imperfective aspect of the verb	Upozna +va+ ti	Oo-poh-znah-vah-tee

61. To need (Trebati) –Treh-bah-tee

Present tense (sadašnje vrijeme)	Aorist tense (Aorist)	Imperfect tense (Imperfekt)
Ja trebam	Ja trebah	Jatrebah
Ti trebaš	Ti treba	Ti trebaše
On/ona/ono treba	On/ona/ono treba	On/ ona/ono trebaše
Mi trebamo	Mi trebasmo	Mi trebasmo
Vi trebate	Vi trebaste	Vi trebaste
Oni/one trebaju	Oni/onetrebaše	Oni/one trebahu
Past tense (Perfekt)	**Pluperfect (Pluskvamperfekat)**	**Future tense (Futur I)**
Ja sam trebao/trebala	Ja sam bio trebao/bila trebala	Ja ću trebati
Ti si trebao/trebala	Ti sibiotrebao/bila trebala	Ti ćeštrebati
On je trebao	On je bio trebao	On/ona/ono će trebati
Ona je trebala	Ona je bila trebala	Mi ćemo trebati
Ono je trebalo	Ono je bilo trebalo	Vi ćete trebati
Mi smo trebali	Mi smo bili trebali	Oni/one će trebati
Vi ste trebali	Vi ste bili trebali	
Oni su trebali /One su trebale	Oni su bili trebali/One su bile trebale	
Future tense (Futur II)	**Imperative (imperativ)**	**Conditional I (Potencijal I)**
Budem trebao/trebala	-------------	Ja bih trebao/trebala
Budeš trebao/trebala	Trebaj	Ti bi trebao/trebala
Bude trebao/trebala /trebalo	------------	On bi trebao/Ona bi trebala/Ono bi trebalo
Budemo trebali	Trebajmo	Mi bismo trebali
Budete trebali	Trebajte	Vi biste trebali
Budu trebali / trebale	-------------	Oni bi trebali/One bi trebale

Conditional II (Potencijal II)	
Ja bih bio trebao/bila trebala	Mi bismo bili trebali
Ti bi bio trebao/bila trebala	Vi biste bili trebali
On bi bio trebao	Oni bi bili trebali
Ona bi bila trebala	One bi bile trebale
Ono bi bilo trebalo	Ona bi bila trebala

Verbal adjective active	Male	Female	Neutral
Singular	Trebao	Trebala	Trebalo
Plural	Trebali	Trebale	Trebala

Verbal adjective passive	Male	Female	Neutral
Singular	------	-------	-------
Plural	------	-------	-------

Transgressive (Present Verbal adverb)	Trebajući
Transgressive (Past Verbal adverb)	Trebavši
Verbal noun	Trebanje

Perfective aspect of the verb	-------------	-------------
Imperfective aspect of the verb	Trebati	Treh-bah-tee

62. To notice (Primijetiti)- Pree-mee-yeh-tee-tee

Present tense (sadašnje vrijeme)	Aorist tense (Aorist)	Imperfect tense (Imperfekt)
Ja primijetim/primjećujem	Ja primijetih	Ja primjećivah
Ti primijetiš/primjećuješ	Ti primijeti	Ti primjećivaše
On/ona/ono primijeti/primjećuje	On/ona/ono primijeti	On/ ona/ono primjećivaše
Mi primijetismo/primjećujemo	Mi primijetismo	Mi primjećivasmo
Vi primijetiste/primjećujete	Vi primijetiste	Vi primjećivaste
Oni/one primijete/primjećuju	Oni/one primijetiše	Oni/one primjećivahu
Past tense (Perfekt)	**Pluperfect (Pluskvamperfekat)**	**Future tense (Futur I)**
Ja sam primijetio/primijetila	Ja sam bio primijetio/bila primijetila	Ja ću primijetiti
Ti si primijetio/primijetila	Ti sibio primijetio/bila primijetila	Ti ćeš primijetiti
On je primijetio	On je bio primijetio	On/ona/ono će primijetiti
Ona je primijetila	Ona je bila primijetila	Mi ćemo primijetiti
Ono je primijetilo	Ono je bilo primijetilo	Vi ćete primijetiti
Mi smo primijetili	Mi smo bili primijetili	Oni/one će primijetiti
Vi ste primijetili	Vi ste bili primijetili	
Oni su primijetili /One su primijetile	Oni su bili primijetili /One su bile primijetile	
Future tense (Futur II)	**Imperative (imperativ)**	**Conditional I (Potencijal I)**
Budem primijetio/primijetila	------------	Ja bih primijetio/primijetila
Budeš primijetio/primijetila	Primijeti	Ti bi primijetio/primijetila
Bude primijetio/primijetila /primijetilo	------------	On bi primijetio /Ona bi primijetila /Ono bi primijetilo
Budemo primijetili	Primijetimo	Mi bismo primijetili
Budete primijetili	Primijetite	Vi biste primijetili
Budu primijetili /primijetile	------------	Oni bi primijetili/One bi primijetile

Conditional II (Potencijal II)	
Ja bih bio primijetio/bila primijetila	Mi bismo bili primijetili
Ti bi bio primijetio/bila primijetila	Vi biste bili primijetili
On bi bio primijetio	Oni bi bili primijetili
Ona bi bila primijetila	One bi bile primijetile
Ono bi bilo primijetilo	Ona bi bila primijetila

Verbal adjective active	Male	Female	Neutral
Singular	Primijetio	Primijetila	Primijetilo
Plural	Primijetili	Primijetile	Primijetila

Verbal adjective passive	Male	Female	Neutral
Singular	Primijećen	Primijećena	Primijećeno
Plural	Primijećeni	Primijećene	Primijećena

Transgressive (Present Verbal adverb)	Primjećujući
Transgressive (Past Verbal adverb)	Primijetivši
Verbal noun	**Primjećivanje**

Perfective aspect of the verb	Primijetiti	Pree-mee-yeh-tee-tee
Imperfective aspect of the verb	Primje + ćiva+ti	Pree-mee-yeh-tchee-vah-tee

63. To open (Otvoriti)- Ot-voh-ree-tee

Present tense (sadašnje vrijeme)	Aorist tense (Aorist)	Imperfect tense (Imperfekt)
Ja otvorim/otvaram	Ja otvorih	Ja otvarah
Ti otvoriš/otvaraš	Ti otvori	Ti otvaraše
On/ona/ono otvori/otvara	On/ona/ono otvori	On/ ona/ono otvaraše
Mi otvorimo/otvaramo	Mi otvorismo	Mi otvarasmo
Vi otvorite/otvarate	Vi otvoriste	Vi otvaraste
Oni/one otvore/otvaraju	Oni/one otvoriše	Oni/one otvarahu

Past tense (Perfekt)	Pluperfect (Pluskvamperfekat)	Future tense (Futur I)
Ja sam otvorio/otvorila	Ja sam bio otvorio/bila otvorila	Ja ću otvoriti
Ti si otvorio/otvorila	Ti sibio otvorio/bila otvorila	Ti ćeš otvoriti
On je otvorio	On je bio otvorio	On/ona/ono će otvoriti
Ona je otvorila	Ona je bila otvorila	Mi ćemo otvoriti
Ono je otvorilo	Ono je bilo otvorilo	Vi ćete otvoriti
Mi smo otvorili	Mi smo bili otvorili	Oni/one će otvoriti
Vi ste otvorili	Vi ste bili otvorili	
Oni su otvorili/One su otvorile	Oni su bili otvorili/One su bile tvorile	

Future tense (Futur II)	Imperative (imperativ)	Conditional I (Potencijal I)
Budem otvorio/otvorila	------------	Ja bih otvorio/otvorila
Budeš otvorio/otvorila	Otvori	Ti bi otvorio/otvorila
Bude otvorio/otvorila /otvorilo	------------	On bi otvorio/Ona bi otvorila
Budemo otvorili	Otvorimo	/Ono bi otvorilo
Budete otvorili	Otvorite	Mi bismo otvorili
Budu otvorili/otvorile	------------	Vi biste otvorili
		Oni bi otvorili/One bi otvorile

Conditional II (Potencijal II)	
Ja bih bio otvorio/bila otvorila	Mi bismo bili otvorili
Ti bi bio otvorio/bila otvorila	Vi biste bili otvorili
On bi bio otvorio	Oni bi bili otvorili
Ona bi bila otvorila	One bi bile otvorile
Ono bi bilo otvorilo	Ona bi bila otvorila

Verbal adjective active	Male	Female	Neutral
Singular	Otvorio	Otvorila	Otvorilo
Plural	Otvorili	Otvorile	Otvorila

Verbal adjective passive	Male	Female	Neutral
Singular	Otvoren	Otvorena	Otvoreno
Plural	Otvoreni	Otvorene	Otvorena

Transgressive (Present Verbal adverb)	Otvarajući
Transgressive (Past Verbal adverb)	Otvorivši
Verbal noun	Otvaranje

Perfective aspect of the verb	Otvoriti	Ot-voh-ree-tee
Imperfective aspect of the verb	Otv+ara+ti	Ot-vah-rah-tee

64.   To play (Igrati)- Eeg-rah-tee

Present tense (sadašnje vrijeme)	Aorist tense (Aorist)	Imperfect tense (Imperfekt)
Ja igram	Ja igrah	Ja igrah
Ti igraš	Ti igra	Ti igraše
On/ona/ono igra	On/ona/ono igra	On/ ona/ono igraše
Mi igramo	Mi igrasmo	Mi igrasmo
Vi igrate	Vi igraste	Vi igraste
Oni/one igraju	Oni/one igraše	Oni/one igrahu
Past tense (Perfekt)	**Pluperfect (Pluskvamperfekat)**	**Future tense (Futur I)**
Ja sam igrao/igrala	Ja sam bio igrao/bila igrala	Ja ću igrati
Ti si igrao/igrala	Ti sibioigrao/bila igrala	Ti ćešigrati
On je igrao	On je bio igrao	On/ona/ono će igrati
Ona je igrala	Ona je bila igrala	Mi ćemo igrati
Ono je igralo	Ono je bilo igralo	Vi ćete igrati
Mi smo igrali	Mi smo bili igrali	Oni/one će igrati
Vi ste igrali	Vi ste bili igrali	
Oni su igrali /One su igrale	Oni su bili igrali/One su bile igrale	
Future tense (Futur II)	**Imperative (imperativ)**	**Conditional I (Potencijal I)**
Budem igrao/igrala	------------	Ja bih igrao/igrala
Budeš igrao/igrala	Igraj	Ti bi igrao/igrala
Bude igrao/igrala/igralo	------------	On bi igrao/Ona bi igrala
Budemo igrali	Igrajmo	/Ono bi igralo
Budete igrali	Igrajte	Mi bismo igrali
Budu igrali / igrale	------------	Vi biste igrali
		Oni bi igrali/One bi igrale

Conditional II (Potencijal II)	
Ja bih bio igrao/bila igrala	Mi bismo bili igrali
Ti bi bio igrao/bila igrala	Vi biste bili igrali
On bi bio igrao	Oni bi bili igrali
Ona bi bila igrala	One bi bile igrale
Ono bi bilo igrala	Ona bi bila igrala

Verbal adjective active	Male	Female	Neutral
Singular	Igrao	Igrala	Igralo
Plural	Igrali	Igrale	Igrala

Verbal adjective passive	Male	Female	Neutral
Singular	Igran	Igrana	Igrano
Plural	Igrani	Igrane	Igrana

Transgressive (Present Verbal adverb)	Igrajući
Transgressive (Past Verbal adverb)	Igravši
Verbal noun	Igranje

Perfective aspect of the verb	-------------	-------------
Imperfective aspect of the verb	Igrati	Ee-grah-tee

65. To put (Staviti) –Stah-vee-tee

Present tense (sadašnje vrijeme)	Aorist tense (Aorist)	Imperfect tense (Imperfekt)
Ja stavim/stavljam	Ja stavih	Ja stavljah
Ti staviš/stavljaš	Ti stavi	Ti stavljaše
On/ona/ono stavi/stavlja	On/ona/ono stavi	On/ ona/ono stavljaše
Mi stavimo/stavljamo	Mi stavismo	Mi stavljasmo
Vistavite/stavljate	Vi staviste	Vi stavljaste
Oni/one stave/stavljaju	Oni/one staviše	Oni/one stavljahu
Past tense (Perfekt)	**Pluperfect (Pluskvamperfekat)**	**Future tense (Futur I)**
Ja sam stavio/stavila	Ja sam bio stavio/bila stavila	Ja ću staviti
Ti si stavio/stavila	Ti sibio stavio/bila stavila	Ti ćeš staviti
On je stavio	On je bio stavio	On/ona/ono će staviti
Ona je stavila	Ona je bila stavila	Mi ćemo staviti
Ono je stavilo	Ono je bilo stavilo	Vi ćete staviti
Mi smo stavili	Mi smo bili stavili	Oni/one će staviti
Vi ste stavili	Vi ste bili stavili	
Oni su stavili	Oni su bili stavili	
One su stavile	One su bile stavili	
Future tense (Futur II)	**Imperative (imperativ)**	**Conditional I (Potencijal I)**
Budem stavio/stavila	-------------	Ja bih stavio/stavila
Budeš stavio/stavila	Stavi	Ti bi stavio/stavila
Bude stavio/stavila/stavilo	------------	On bi stavio/ Ona bi stavila /Ono bi stavilo
Budemo stavili	Stavimo	Mi bismo stavili
Budete stavili	Stavite	Vi biste stavili
Budu stavili/stavile	------------	Oni bi stavili/One bi stavile

Conditional II (Potencijal II)	
Ja bih bio stavio/bila stavila	Mi bismo bili stavili
Ti bi bio stavio/bila stavila	Vi biste bili stavili
On bi bio stavio	Oni bi bili stavili
Ona bi bila stavila	One bi bile stavile
Ono bi bilo stavilo	Ona bi bila stavila

Verbal adjective active	Male	Female	Neutral
Singular	Stavio	Stavila	Stavilo
Plural	Stavili	Stavile	Stavila

Verbal adjective passive	Male	Female	Neutral
Singular	Stavljen	Stavljena	Stavljeno
Plural	Stavljeni	Stavljene	Stavljena

Transgressive (Present Verbal adverb)	Stavljajući
Transgressive (Past Verbal adverb)	Stavivši
Verbal noun	Stavljanje

Perfective aspect of the verb	Staviti	Stah-vee-tee
Imperfective aspect of the verb	Stav+lja+ti	Stahv-lya-tee

66. To read (Čitati) Chee-tah-tee

Present tense (sadašnje vrijeme)	Aorist tense (Aorist)	Imperfect tense (Imperfekt)
Ja čitam	Ja čitah	Ja čitah
Ti čitaš	Ti čita	Ti čitaše
On/ona/ono čita	On/ona/ono čita	On/ ona/ono čitaše
Mi čitamo	Mi čitasmo	Mi čitasmo
Vi čitate	Vi čitaste	Vi čitaste
Oni/one čitaju	Oni/one čitaše	Oni/one čitahu
Past tense (Perfekt)	**Pluperfect (Pluskvamperfekat)**	**Future tense (Futur I)**
Ja sam čitao/čitala	Ja sam biočitao/bila čitala	Ja ću čitati
Ti si čitao/čitala	Ti sibiočitao/bila čitala	Ti ćeščitati
On je čitao	On je bio čitao	On/ona/ono će čitati
Ona je čitala	Ona je bila čitala	Mi ćemo čitati
Ono je čitalo	Ono je bilo čitalo	Vi ćete čitati
Mi smo čitali	Mi smo bili čitali	Oni/one će čitati
Vi ste čitali	Vi ste bili čitali	
Oni su čitali/One su čitale	Oni su bili čitali/One su bile čitale	
Future tense (Futur II)	**Imperative (imperativ)**	**Conditional I (Potencijal I)**
Budem čitao/čitala	------------	Ja bih čitao/čitala
Budeš čitao/čitala	Čitaj	Ti bi čitao/čitala
Bude čitao/čitala/čitalo	------------	On bi čitao/ Ona bi čitala/Ono bi čitalo
Budemo čitali	Čitajmo	Mi bismo čitali
Budete čitali	Čitajte	Vi biste čitali
Budu čitali/čitale	------------	Oni bi čitali/One bi čitale

Conditional II (Potencijal II)	
Ja bih bio čitao/bila čitala	Mi bismo bili čitali
Ti bi bio čitao/bila čitala	Vi biste bili čitali
On bi bio čitao	Oni bi bili čitali
Ona bi bila čitala	One bi bile čitale
Ono bi bilo čitalo	Ona bi bila čitala

Verbal adjective active	Male	Female	Neutral
Singular	Čitao	Čitala	Čitalo
Plural	Čitali	Čitale	Čitala

Verbal adjective passive	Male	Female	Neutral
Singular	Čitan	Čitana	Čitano
Plural	Čitani	Čitane	Čitana

Transgressive (Present Verbal adverb)	Čitajući
Transgressive (Past Verbal adverb)	Čitavši
Verbal noun	Čitanje

Perfective aspect of the verb	Pro+čitati	Proh-chee-tah-tee
Imperfective aspect of the verb	Čitati	Chee-tah-tee

67. To receive (Primiti) Pree-mee-tee

Present tense (sadašnje vrijeme)	Aorist tense (Aorist)	Imperfect tense (Imperfekt)
Ja primim/primam	Ja primih	Ja primah
Ti primiš/primaš	Ti primi	Ti primaše
On/ona/ono primi/prima	On/ona/ono primi	On/ ona/ono primaše
Mi primimo/primamo	Mi primismo	Mi primasmo
Vi primite/primate	Vi primiste	Vi primaste
Oni/one prime/primaju	Oni/one primiše	Oni/one primahu
Past tense (Perfekt)	**Pluperfect (Pluskvamperfekat)**	**Future tense (Futur I)**
Ja sam primio/primila	Ja sam bioprimio/bila primila	Ja ću primiti
Ti si primio/primila	Ti sibioprimio/bila primila	Ti ćešprimiti
On je primio	On je bio primio	On/ona/ono će primiti
Ona jeprimila	Ona je bila primila	Mi ćemo primiti
Ono jeprimilo	Ono je bilo primilo	Vi ćete primiti
Mi smo primili	Mi smo bili primili	Oni/one će primiti
Vi ste primili	Vi ste bili primili	
Oni su primili/One su primile	Oni su bili primili/One su bile primile	
Future tense (Futur II)	**Imperative (imperativ)**	**Conditional I (Potencijal I)**
Budem primio/primila	------------	Ja bih primio/primila
Budeš primio/primila	Primi	Ti bi primio/primila
Bude primio/primila/primilo	------------	On bi primio / Ona bi primila/Ono bi primilo
Budemo primili	Primimo	Mi bismo primili
Budete primili	Primite	Vi biste primili
Budu primili/primile	------------	Oni bi primili/One bi primile

Conditional II (Potencijal II)	
Ja bih bio primio/bila primila	Mi bismo bili primili
Ti bi bio primio/bila primila	Vi biste bili primili
On bi bio primio	Oni bi bili primili
Ona bi bila primila	One bi bile primile
Ono bi bilo primilo	Ona bi bila primila

Verbal adjective active	Male	Female	Neutral
Singular	Primio	Primila	Primilo
Plural	Primili	Primile	Primila

Verbal adjective passive	Male	Female	Neutral
Singular	Primljen	Primljena	Primljeno
Plural	Primljeni	Primljene	Primljena

Transgressive (Present Verbal adverb)	Primajući
Transgressive (Past Verbal adverb)	Primivši
Verbal noun	**Primanje**

Perfective aspect of the verb	Primiti	Pree-mee-tee
Imperfective aspect of the verb	Primati	Pree-mah-tee

68.   To remember (Zapamtiti) Zah-pah-mtee-tee

Present tense (sadašnje vrijeme)	Aorist tense (Aorist)	Imperfect tense (Imperfekt)
Ja zapamtim/pamtim	Ja zapamtih	Ja pamćah
Ti zapamtiš/pamtiš	Ti zapamti	Ti pamćaše
On/ona/ono zapamti/pamtim	On/ona/ono zapamti	On/ ona/ono pamćaše
Mi zapamtimo/pamtimo	Mi zapamtismo	Mi pamćasmo
Vi zapamtite/pamtite	Vi zapamtiste	Vi pamćaste
Oni/one zapamte/pamte	Oni/one zapamtiše	Oni/one pamćahu
Past tense (Perfekt)	**Pluperfect (Pluskvamperfekat)**	**Future tense (Futur I)**
Ja sam zapamtio/zapamtila	Ja sam bio zapamtio/bila zapamtila	Ja ću zapamtiti
Ti si zapamtio/zapamtila	Ti sibio zapamtio/bila zapamtila	Ti ćešzapamtiti
On je zapamtio	On je bio zapamtio	On/ona/ono će zapamtiti
Ona je zapamtila	Ona je bila zapamtila	Mi ćemo zapamtiti
Ono jezapamtilo	Ono je bilo zapamtilo	Vi ćete zapamtiti
Mi smo zapamtili	Mi smo bili zapamtili	Oni/one će zapamtiti
Vi ste zapamtili	Vi ste bili zapamtili	
Oni su zapamtili/One su zapamtile	Oni su bili zapamtili/One su bile zapamtile	
Future tense (Futur II)	**Imperative (imperativ)**	**Conditional I (Potencijal I)**
Budem zapamtio/zapamtila	------------	Ja bih zapamtio/zapamtila
Budeš zapamtio/zapamtila	Zapamti	Ti bi zapamtio/zapamtila
Bude zapamtio/zapamtila/zapamtilo	-----------	On bi zapamtio/Ona bi zapamtila/Ono bi zapamtilo
Budemo zapamtili	Zapamtimo	Mi bismozapamtili
Budete zapamtili	Zapamtite	Vi biste zapamtili
Budu zapamtili/zapamtile	------------	Oni bi zapamtili/One bi zapamtile

Ja bih bio zapamtio/bila zapamtila	Mi bismo bili Zapamtili
Ti bi bio zapamtio/bila zapamtila	Vi biste bili zapamtili
On bi bio zapamtio	Oni bi bili zapamtili
Ona bi bila zapamtila	One bi bile zapamtile
Ono bi bilo zapamtilo	Ona bi bila zapamtila

Verbal adjective active	Male	Female	Neutral
Singular	Zapamtio	Zapamtila	Zapamtilo
Plural	Zapamtili	Zapamtile	Zapamtila

Verbal adjective passive	Male	Female	Neutral
Singular	Zapamćen	Zapamćena	Zapamćeno
Plural	Zapamćeni	Zapamćene	Zapamćena

Transgressive (Present Verbal adverb)	Pamteći
Transgressive (Past Verbal adverb)	Zapamtivši
Verbal noun	Pamćenje

Perfective aspect of the verb	Za+pamtiti	Zah-pah-mtee-tee
Imperfective aspect of the verb	Pamtiti	Pah-mtee-tee

69. To repeat (Ponoviti)-Poh-noh-vee-tee

Present tense (sadašnje vrijeme)	Aorist tense (Aorist)	Imperfect tense (Imperfekt)
Ja ponovim/ponavljam	Ja ponovih	Ja ponavljah
Ti ponoviš/ponavljaš	Ti ponovi	Ti ponavljaše
On/ona/ono ponovi/ponavlja	On/ona/ono ponovi	On/ ona/ono ponavljaše
Mi ponovimo/ponavljamo	Mi ponovismo	Mi ponavljasmo
Vi ponovite/ponavljate	Vi ponoviste	Vi ponavljaste
Oni/one ponove/ponavljaju	Oni/one ponoviše	Oni/one ponavljahu

Past tense (Perfekt)	Pluperfect (Pluskvamperfekat)	Future tense (Futur I)
Ja sam ponovio/ponovila	Ja sam bioponovio/bila ponovila	Ja ću ponoviti
Ti si ponovio/ponovila	Ti sibioponovio/bila ponovila	Ti ćešponoviti
On je ponovio	On je bio ponovio	On/ona/ono će ponoviti
Ona je ponovila	Ona je bila ponovila	Mi ćemo ponoviti
Ono je ponovilo	Ono je bilo ponovilo	Vi ćete ponoviti
Mi smo ponovili	Mi smo bili ponovili	Oni/one će ponoviti
Vi ste ponovili	Vi ste bili ponovili	
Oni su ponovili	Oni su bili ponovili	
One su ponovile	One su bile ponovile	

Future tense (Futur II)	Imperative (imperativ)	Conditional I (Potencijal I)
Budem ponovio/ponovila	------------	Ja bih ponovio/ponovila
Budeš ponovio/ponovila	Ponovi	Ti bi ponovio/ponovila
Bude ponovio/ponovila/ponovilo	------------	On bi zapamtio/Ona bi zapamtila/Ono bi zapamtilo
Budemo ponovili	Ponovimo	Mi bismoponovili
Budete ponovili	Ponovite	Vi biste ponovili
Budu ponovili/ponovile	------------	Oni bi ponovili/One bi ponovile

Conditional II (Potencijal II)	
Ja bih bio ponovio/bila ponovila	Mi bismo bili ponovili
Ti bi bio ponovio/bila ponovila	Vi biste bili ponovili
On bi bio ponovio	Oni bi bili ponovili
Ona bi bila ponovila	One bi bile ponovile
Ono bi bilo ponovilo	Ona bi bila ponovila

Verbal adjective active	Male	Female	Neutral
Singular	Ponovio	Ponovila	Ponovilo
Plural	Ponovili	Ponovile	Ponovila

Verbal adjective passive	Male	Female	Neutral
Singular	Ponovljen	Ponovljena	Ponovljeno
Plural	Ponovljeni	Ponovljene	Ponovljena

Transgressive (Present Verbal adverb)	Ponavljajući
Transgressive (Past Verbal adverb)	Ponovivši
Verbal noun	Ponavljanje

Perfective aspect of the verb	Ponoviti	Poh-noh-vee-tee
Imperfective aspect of the verb	Pon+avlja+ti	Poh-nah-vlyah-tee

70. To return (Vratiti) Vrah-tee-tee

Present tense (sadašnje vrijeme)	Aorist tense (Aorist)	Imperfect tense (Imperfekt)
Ja vratim/vraćam	Ja vratih	Ja vraćah
Ti vratiš/vraćaš	Ti vrati	Ti vraćaše
On/ona/ono vrati/vraća	On/ona/ono vrati	On/ ona/ono vraćaše
Mi vratimo/vraćamo	Mi vratismo	Mi vraćasmo
Vi vratite/vraćate	Vi vratiste	Vi vraćaste
Oni/one vrate/vraćaju	Oni/one vratiše	Oni/one vraćahu
Past tense (Perfekt)	**Pluperfect (Pluskvamperfekat)**	**Future tense (Futur I)**
Ja sam vratio/vratila	Ja sam bio vratio/bila vratila	Ja ću vratiti
Ti si vratio/vratila	Ti sibio vratio/bila vratila	Ti ćeš vratiti
On je vratio	On je bio vratio	On/ona/ono će vratiti
Ona je vratila	Ona je bila vratila	Mi ćemo vratiti
Ono je vratilo	Ono je bilo vratilo	Vi ćete vratiti
Mi smo vratili	Mi smo bili vratili	Oni/one će vratiti
Vi ste vratili	Vi ste bili vratili	
Oni su vratili	Oni su bili vratili	
One su vratili	One su bile vratile	
Future tense (Futur II)	**Imperative (imperativ)**	**Conditional I (Potencijal I)**
Budem vratio/vratila	------------	Ja bih vratio/vratila
Budeš vratio/vratila	Vrati	Ti bi vratio/vratila
Bude vratio/vratila/vratilo	------------	On bi vratio/Ona bi vratila/Ono bi vratilo
Budemo vratili	Vratimo	Mi bismo vratili
Budete vratili	Vratite	Vi biste vratili
Budu vratili/ vratile	------------	Oni bi vratili/One bi vratile

Conditional II (Potencijal II)	
Ja bih bio vratio/bila vratila	Mi bismo bili vratili
Ti bi bio vratio/bila vratila	Vi biste bili vratili
On bi bio vratio	Oni bi bili vratili
Ona bi bila vratila	One bi bile vratile
Ono bi bilo vratilo	Ona bi bila vratila

Verbal adjective active	Male	Female	Neutral
Singular	Vratio	Vratila	Vratilo
Plural	Vratili	Vratile	Vratila

Verbal adjective passive	Male	Female	Neutral
Singular	Vraćen	Vraćena	Vraćeno
Plural	Vraćeni	Vraćene	Vraćena

Transgressive (Present Verbal adverb)	Vraćajući
Transgressive (Past Verbal adverb)	Vrativši
Verbal noun	Vraćanje

Perfective aspect of the verb	Vratiti	Vrah-tee-tee
Imperfective aspect of the verb	Vra+ća+ti	Vrah-tchah-tee

71. To run (Trčati) Tr-chah-tee

Present tense (sadašnje vrijeme)	Aorist tense (Aorist)	Imperfect tense (Imperfekt)
Ja trčim	Ja trčah	Ja trčah
Ti trčiš	Ti trča	Ti trčaše
On/ona/ono trči	On/ona/ono trča	On/ ona/ono trčaše
Mi trčimo	Mi trčasmo	Mi trčasmo
Vi trčite	Vi trčaste	Vi trčaste
Oni/one trče	Oni/one trčaše	Oni/one trčahu

Past tense (Perfekt)	Pluperfect (Pluskvamperfekat)	Future tense (Futur I)
Ja sam trčao/trčala	Ja sam bio trčao/bila trčala	Ja ću trčati
Ti si trčao/trčala	Ti sibio trčao/bila trčala	Ti ćeš trčati
On je trčao	On je bio trčao	On/ona/ono će trčati
Ona je trčala	Ona je bila trčala	Mi ćemo trčati
Ono je trčalo	Ono je bilo trčalo	Vi ćete trčati
Mi smo trčali	Mi smo bili trčali	Oni/one će trčati
Vi ste trčali	Vi ste bili trčali	
Oni su trčali	Oni su bili trčali	
One su trčale	One su bile trčale	

Future tense (Futur II)	Imperative (imperativ)	Conditional I (Potencijal I)
Budem trčao/trčala	-------------	Ja bih trčao/trčala
Budeš trčao/trčala	Trči	Ti bi trčao/trčala
Bude trčao/trčala/trčalo	------------	On bi trčao/Ona bi trčala/Ono bi trčalo
Budemo trčali	Trčimo	Mi bismo trčali
Budete trčali	Trčite	Vi biste trčali
Budu trčali/trčale	-------------	Oni bi trčali/One bi trčale

Conditional II (Potencijal II)	
Ja bih bio trčao/bila trčala	Mi bismo bili trčali
Ti bi bio trčao/bila trčala	Vi biste bili trčali
On bi bio trčao	Oni bi bili trčali
Ona bi bila trčala	One bi bile trčale
Ono bi bilo trčalo	Ona bi bila trčala

Verbal adjective active	Male	Female	Neutral
Singular	Trčao	Trčala	Trčalo
Plural	Trčali	Trčale	Trčala

Verbal adjective passive	Male	Female	Neutral
Singular	Istrčan	Trčana	Trčano
Plural	Trčani	Trčane	Trčana

Transgressive (Present Verbal adverb)	Trčeći
Transgressive (Past Verbal adverb)	Trčavši
Verbal noun	Trčanje

Perfective aspect of the verb	Istrčati-------------	-------------
Imperfective aspect of the verb	Trčati	Tr-chah-tee

72. To say (Kazati) Kah-zah -tee

Present tense (sadašnje vrijeme)	Aorist tense (Aorist)	Imperfect tense (Imperfekt)
Ja kažem	Ja kazah	Ja kazivah
Ti kažeš	Ti kaza	Ti kazivaše
On/ona/ono kaže	On/ona/ono kaza	On/ ona/ono kazivaše
Mi kažemo	Mi kazasmo	Mi kazivasmo
Vi kažete	Vi kazaste	Vi kazivaste
Oni/one kažu	Oni/one kazaše	Oni/one kazivahu
Past tense (Perfekt)	**Pluperfect (Pluskvamperfekat)**	**Future tense (Futur I)**
Ja sam kazao/kazala	Ja sam bio kazao/bila kazala	Ja ću kazati
Ti si kazao/kazala	Ti sibio kazao/bila kazala	Ti ćeškazati
On je kazao	On je bio kazao	On/ona/ono će kazati
Ona je kazala	Ona je bila kazala	Mi ćemo kazati
Ono je kazalo	Ono je bilo kazalo	Vi ćete kazati
Mi smo kazali	Mi smo bili kazali	Oni/one će kazati
Vi ste kazali	Vi ste bili kazali	
Oni su kazali	Oni su bili kazali	
One su kazale	One su bile kazale	
Future tense (Futur II)	**Imperative (imperativ)**	**Conditional I (Potencijal I)**
Budem kazao/kazala	------------	Ja bih kazao/kazala
Budeš kazao/kazala	Kaži	Ti bi kazao/kazala
Bude kazao/kazala/kazalo	------------	On bi kazao/Ona bi kazala/Ono bi kazalo
Budemo kazali	Kažimo	Mi bismo kazali
Budete kazali	Kažite	Vi biste kazali
Budu kazali/ kazale	------------	Oni bi kazali/One bi kazale

Conditional II (Potencijal II)	
Ja bih bio kazao/bila kazala	Mi bismo bili kazali
Ti bi bio kazao/bila kazala	Vi biste bili kazali
On bi bio kazao	Oni bi bili kazali
Ona bi bila kazala	One bi bile kazali
Ono bi bilo kazalo	Ona bi bila kazala

Verbal adjective active	Male	Female	Neutral
Singular	Kazao	Kazala	Kazalo
Plural	Kazali	Kazale	Kazala

Verbal adjective passive	Male	Female	Neutral
Singular	Kazan	Kazana	Kazano
Plural	Kazani	Kazane	Kazana

Transgressive (Present Verbal adverb)	Kazujući
Transgressive (Past Verbal adverb)	Kazavši
Verbal noun	Kazivanje

Perfective aspect of the verb	Kazati	Kah-zah- tee
Imperfective aspect of the verb	Kazivati	Kah-zee-vah-tee

73. To scream (Vrištati) Vree-shtah-tee

Present tense (sadašnje vrijeme)	Aorist tense (Aorist)	Imperfect tense (Imperfekt)
Ja vrištim	Ja vrisnuh	Ja vrištah
Ti vrištiš	Ti vrisnu	Ti vrištaše
On/ona/ono vrišti	On/ona/ono vrisnu	On/ ona/ono vrištaše
Mi vrištimo	Mi vrisnusmo	Mi vrištasmo
Vi vrištite	Vi vrisnuste	Vi vrištaste
Oni/one vrište	Oni/one vrisnuše	Oni/one vrištahu

Past tense (Perfekt)	Pluperfect (Pluskvamperfekat)	Future tense (Futur I)
Ja sam vrištao/vrištala	Ja sam bio vrištao/bila vrištala	Ja ću vrištati
Ti si vrištao/vrištala	Ti sibio vrištao/bila vrištala	Ti ćešvrištati
On je vrištao	On je bio vrištao	On/ona/ono će vrištati
Ona jevrištala	Ona je bila vrištala	Mi ćemo vrištati
Ono je vrištalo	Ono je bilo vrištalo	Vi ćete vrištati
Mi smo vrištali	Mi smo bili vrištali	Oni/one će vrištati
Vi ste vrištali	Vi ste bili vrištali	
Oni su vrištali	Oni su bili vrištali	
One su vrištale	One su bile vrištale	

Future tense (Futur II)	Imperative (imperativ)	Conditional I (Potencijal I)
Budem vrištao/vrištala	------------	Ja bih vrištao/vrištala
Budeš vrištao/vrištala	Vrišti	Ti bi vrištao/vrištala
Bude vrištao /vrištala/vrištalo	------------	On bi vrištao/Ona bi vrištala/Ono bi vrištalo
Budemo vrištali	Vrištimo	Mi bismovrištali
Budete vrištali	Vrištite	Vi biste vrištali
Budu vrištali/vrištale	------------	Oni bi vrištali/One bi vrištale

Conditional II (Potencijal II)	
Ja bih bio vrištao/bila vrištala	Mi bismo bili vrištali
Ti bi bio vrištao/bila vrištala	Vi biste bili vrištali
On bi bio vrištao	Oni bi bili vrištali
Ona bi bila vrištala	One bi bile vrištali
Ono bi bilo vrištalo	Ona bi bila vrištala

Verbal adjective active	Male	Female	Neutral
Singular	Vrištao	Vrištala	Vrištalo
Plural	Vrištali	Vrištale	Vrištala

Verbal adjective passive	Male	Female	Neutral
Singular	------	-------	-------
Plural	------	-------	-------

Transgressive (Present Verbal adverb)	Vristeći
Transgressive (Past Verbal adverb)	Vrisnuvši
Verbal noun	Vrištanje

Perfective aspect of the verb	Vrisnuti	Vrees-noo-tee
Imperfective aspect of the verb	Vrištati	Vree-shtah-tee

74. To see (Vidjeti) Veed-yeh-tee

Present tense (sadašnje vrijeme)	Aorist tense (Aorist)	Imperfect tense (Imperfekt)
Ja vidim	Ja vidjoh	Ja viđah
Ti vidiš	Ti vidje	Ti viđaše
On/ona/ono vidi	On/ona/ono vidje	On/ ona/ono viđaše
Mi vidimo	Mi vidjesmo	Mi viđasmo
Vi vidite	Vi vidjeste	Vi viđaste
Oni/one vide	Oni/one vidješe	Oni/one viđahu

Past tense (Perfekt)	Pluperfect (Pluskvamperfekat)	Future tense (Futur I)
Ja sam vidio/vidjela	Ja sam biovidio/bila vidjela	Ja ću vidjeti
Ti si vidio/vidjela	Ti sibiovidio/bila vidjela	Ti ćešvidjeti
On je vidio	On je bio vidio	On/ona/ono će vidjeti
Ona je vidjela	Ona je bila vidjela	Mi ćemo vidjeti
Ono je vidjelo	Ono je bilo vidjelo	Vi ćete vidjeti
Mi smo vidjeli	Mi smo bili vidjeli	Oni/one će vidjeti
Vi ste vidjeli	Vi ste bili vidjeli	
Oni su vidjeli	Oni su bili vidjeli	
One su vidjele	One su bile vidjele	

Future tense (Futur II)	Imperative (imperativ)	Conditional I (Potencijal I)
Budem vidio/vidjela	-------------	Ja bih vidio/vidjela
Budeš vidio/vidjela	Vidi	Ti bi vidio/vidjela
Bude vidio/vidjela/vidjelo	------------	On bi vidio/Ona bi vidjela/Ono bi vidjelo
Budemo vidjeli	Vidimo	Mi bismo vidjeli
Budete vidjeli	Vidite	Vi biste vidjeli
Budu vidjeli/vidjele	-------------	Oni bi vidjeli/One bi vidjele

Conditional II (Potencijal II)	
Ja bih bio vidio/bila vidjela	Mi bismo bili vidjeli
Ti bi bio vidio/bila vidjela	Vi biste bili vidjeli
On bi bio vidio	Oni bi bili vidjeli
Ona bi bila vidjela	One bi bile vidjeli
Ono bi bilo vidjelo	Ona bi bila vidjeli

Verbal adjective active	Male	Female	Neutral
Singular	Vidio	Vidjela	Vidjelo
Plural	Vidjeli	Vidjele	Vidjela

Verbal adjective passive	Male	Female	Neutral
Singular	Viđen	Viđena	Viđeno
Plural	Viđeni	Viđene	Viđena

Transgressive (Present Verbal adverb)	Videći
Transgressive (Past Verbal adverb)	Vidjevši
Verbal noun	Viđenje

Perfective aspect of the verb	Vidjeti	Veed-yeh-tee
Imperfective aspect of the verb	Viđati	Vee-jah-tee

75. To seem (Činiti se) Chee-nee-tee seh

Present tense (sadašnje vrijeme)	Aorist tense (Aorist)	Imperfect tense (Imperfekt)
Ja se činim	Ja se činih	Ja se činjah
Ti se činiš	Ti se činih	Ti se činjaše
On/ona/ono se čini	On/ona/ono se čini	On/ ona/ono se činjaše
Mi se činimo	Mi se činismo	Mi se činjasmo
Vi se činite	Vi se činiste	Vi se činjaste
Oni/one se čine	Oni/one se činiše	Oni/one se činjahu

Past tense (Perfekt)	Pluperfect (Pluskvamperfekat)	Future tense (Futur I)
Ja sam se činio/činila	Ja sam sebiočinio/bila činila	Ja ću se činiti
Ti si se činio/činila	Ti sise bio činio/bila činila	Ti ćešse činiti
Onse činio	Onse bio činio	On/ona/ono će se činiti
Ona je činila	Ona se bila činila	Mi ćemo se činiti
Ono je činilo	Ono se bilo činilo	Vi ćete se činiti
Mi smo se činili	Mi smo se bili činili	Oni/one će se činiti
Vi ste se činili	Vi ste se bili činili	
Oni su se činili	Oni su se bili činili	
One su se činile	One su se bile činile	

Future tense (Futur II)	Imperative (imperativ)	Conditional I (Potencijal I)
Budem se činio/činila	------------	Ja bih se činio/činila
Budeš se činio/činila	Čini se	Ti bi se činio/činila
Bude se činio/činila/činilo	------------	On bi se činio /Ona bi se činila/Ono bi se činilo
Budemo se činili	Činimo se	Mi bismose činili
Budete se činili	Činite se	Vi biste se činili
Budu se činili/činile	------------	Oni bi se činili/One bi se činile

Conditional II (Potencijal II)	
Ja bih se bio činio/bila činila	Mi bismo se bili činili
Ti bi bio se bio činio/bila činila	Vi biste se bili činili
On bi se bio činio	Oni bi se bili činili
Ona bi se bila činila	One bi se bile činile
Ono bi se bilo činilo	Ona bi sebila činila

Verbal adjective active	Male	Female	Neutral
Singular	Činio	Činila	Činilo
Plural	Činili	Činile	Činila

Verbal adjective passive	Male	Female	Neutral
Singular	Činjen	Činjena	Činjeno
Plural	Činjeni	Činjene	Činjena

Transgressive (Present Verbal adverb)	Čineći
Transgressive (Past Verbal adverb)	Činivši
Verbal noun	Činjenje

Perfective aspect of the verb	-------------	-------------
Imperfective aspect of the verb	Činiti se	Chee-nee-tee seh

76. To sell (Prodati) Proh-dah-tee

Present tense (sadašnje vrijeme)	Aorist tense (Aorist)	Imperfect tense (Imperfekt)
Ja prodam/prodajem	Ja prodah	Ja prodavah
Ti prodaš/prodaješ	Ti proda	Ti prodavaše
On/ona/ono proda/prodaje	On/ona/ono proda	On/ ona/ono prodavaše
Mi prodamo/prodajemo	Mi prodasmo	Mi prodavasmo
Vi prodate/prodajete	Vi prodaste	Vi prodavaste
Oni/one prodaju	Oni/one prodaše	Oni/one prodavahu

Past tense (Perfekt)	Pluperfect (Pluskvamperfekat)	Future tense (Futur I)
Ja sam prodao/prodala	Ja sam bio prodao/bila prodala	Ja ću prodati
Ti si prodao/prodala	Ti sibio prodao/bila prodala	Ti ćešprodati
On je prodao	On je bio prodao	On/ona/ono će prodati
Ona je prodala	Ona je bila prodala	Mi ćemo prodati
Ono je prodalo	Ono je bilo prodalo	Vi ćete prodati
Mi smo prodali	Mi smo bili prodali	Oni/one će prodati
Vi ste prodali	Vi ste bili prodali	
Oni su prodali	Oni su bili prodali	
One su prodale	One su bile prodale	

Future tense (Futur II)	Imperative (imperativ)	Conditional I (Potencijal I)
Budem prodao/prodala	------------	Ja bih prodao/prodala
Budeš prodao/prodala	Prodaj	Ti bi prodao/prodala
Bude prodao/prodala/prodalo	------------	On bi prodao /Ona bi prodala /Ono bi prodalo
Budemo prodali	Prodajmo	Mi bismo prodali
Budete prodali	Prodajte	Vi biste prodali
Budu prodali/prodale	------------	Oni bi prodali/One bi prodale

Conditional II (Potencijal II)	
Ja bih bio prodao/bila prodala	Mi bismo bili prodali
Ti bi bio bio prodao/bila prodala	Vi biste bili prodali
On bi bio prodao	Oni bi bili prodali
Ona bi bila prodala	One bi bile prodale
Ono bi bilo prodalo	Ona bi bila prodala

Verbal adjective active	Male	Female	Neutral
Singular	Prodao	Prodala	Prodalo
Plural	Prodali	Prodale	Prodala

Verbal adjective passive	Male	Female	Neutral
Singular	Prodan	Prodana	Prodano
Plural	Prodani	Prodane	Prodana

Transgressive (Present Verbal adverb)	Prodajući
Transgressive (Past Verbal adverb)	Prodavši
Verbal noun	Prodavanje

Perfective aspect of the verb	Prodati	Proh-dah-tee
Imperfective aspect of the verb	Proda+va+ti	Proh-dah-vah-tee

77. To send (Poslati) Po-slah-tee

Present tense (sadašnje vrijeme)	Aorist tense (Aorist)	Imperfect tense (Imperfekt)
Ja pošaljem/šaljem	Ja poslah	Ja slah
Ti pošalješ/šalješ	Ti posla	Ti slaše
On/ona/ono pošalje/šalje	On/ona/ono posla	On/ ona/ono slaše
Mi pošaljemo/šaljemo	Mi poslasmo	Mi slasmo
Vi pošaljete/šaljete	Vi poslaste	Vi slaste
Oni/one pošalju/šalju	Oni/one poslaše	Oni/one slahu

Past tense (Perfekt)	Pluperfect (Pluskvamperfekat)	Future tense (Futur I)
Ja sam poslao/poslala	Ja sam bioposlao/bila poslala	Ja ću poslati
Ti si poslao/poslala	Ti sibioposlao/bila poslala	Ti ćešposlati
On je poslao	On je bio poslao	On/ona/ono će poslati
Ona jeposlala	Ona je bila poslala	Mi ćemo poslati
Ono je poslalo	Ono je bilo poslalo	Vi ćete poslati
Mi smo poslali	Mi smo bili poslali	Oni/one će poslati
Vi ste poslali	Vi ste bili poslali	
Oni su poslali	Oni su bili poslali	
One su poslale	One su bile poslale	

Future tense (Futur II)	Imperative (imperativ)	Conditional I (Potencijal I)
Budem poslao/poslala	-------------	Ja bih poslao/poslala
Budeš poslao/poslala	Pošalji	Ti bi poslao/poslala
Bude poslao/poslala/poslalo	------------	On bi poslao/Ona bi poslala /Ono bi poslalo
Budemo poslali	Pošaljimo	Mi bismoposlali
Budete poslali	Pošaljite	Vi biste poslali
Budu poslali/poslale	-------------	Oni bi poslali/One bi poslale

Conditional II (Potencijal II)	
Ja bih bio poslao/bila poslala	Mi bismo bili poslali
Ti bi bio bio poslao/bila poslala	Vi biste bili poslali
On bi bio poslao	Oni bi bili poslali
Ona bi bila poslala	One bi bile poslali
Ono bi bilo poslalo	Ona bi bila poslala

Verbal adjective active	Male	Female	Neutral
Singular	Poslao	Poslala	Poslalo
Plural	Poslali	Poslale	Poslala

Verbal adjective passive	Male	Female	Neutral
Singular	Poslan	Poslana	Poslano
Plural	Poslani	Poslane	Poslana

Transgressive (Present Verbal adverb)	Šaljući
Transgressive (Past Verbal adverb)	Poslavši
Verbal noun	Slanje

Perfective aspect of the verb	Po+slati	Po-slah-tee
Imperfective aspect of the verb	Slati	Slah-tee

78. To show (Pokazati) Poh-kah-zah-tee

Present tense (sadašnje vrijeme)	Aorist tense (Aorist)	Imperfect tense (Imperfekt)
Ja pokažem/pokazujem	Ja pokazah	Ja pokazivah
Ti pokažeš/pokazujem	Ti pokaza	Ti pokazivaše
On/ona/ono pokaže/pokazuje	On/ona/ono pokaza	On/ ona/ono pokazivaše
Mi pokažemo/pokazujemo	Mi pokazasmo	Mi pokazivasmo
Vi pokažete/pokazujete	Vi pokazaste	Vi pokazivaste
Oni/one pokažu/pokazuju	Oni/one pokazaše	Oni/one pokazivahu

Past tense (Perfekt)	Pluperfect (Pluskvamperfekat)	Future tense (Futur I)
Ja sam pokazao/pokazala	Ja sam bio poslao/bila poslala	Ja ću pokazati
Ti si pokazao/pokazala	Ti sibio poslao/bila poslala	Ti ćeš pokazati
On je pokazao	On je bio pokazao	On/ona/ono će pokazati
Ona je pokazala	Ona je bila pokazala	Mi ćemo pokazati
Ono je pokazalo	Ono je bilo pokazalo	Vi ćete pokazati
Mi smo pokazali	Mi smo bili pokazali	Oni/one će pokazati
Vi ste pokazali	Vi ste bili pokazali	
Oni su pokazali	Oni su bili pokazali	
One su pokazale	One su bile pokazale	

Future tense (Futur II)	Imperative (imperativ)	Conditional I (Potencijal I)
Budem pokazao/pokazala	------------	Ja bih pokazao/pokazala
Budeš pokazao/pokazala	Pokaži	Ti bi pokazao/pokazala
Bude pokazao/pokazala/pokazalo	------------	On bi pokazao/Ona bi pokazala /Ono bi pokazalo
Budemo pokazali	Pokažimo	Mi bismo pokazali
Budete pokazali	Pokažite	Vi biste pokazali
Budu pokazali /pokazale	------------	Oni bi pokazali/One bi pokazale

Conditional II (Potencijal II)	
Ja bih bio poslao/bila poslala	Mi bismo bili pokazali
Ti bi bio bio poslao/bila poslala	Vi biste bili pokazali
On bi bio pokazao	Oni bi bili pokazali
Ona bi bila pokazala	One bi bile pokazali
Ono bi bilo pokazalo	Ona bi bila pokazala

Verbal adjective active	Male	Female	Neutral
Singular	Pokazao	Pokazala	Pokazalo
Plural	Pokazali	Pokazale	Pokazala

Verbal adjective passive	Male	Female	Neutral
Singular	Pokazan	Pokazana	Pokazano
Plural	Pokazani	Pokazane	Pokazana

Transgressive (Present Verbal adverb)	Pokazujući
Transgressive (Past Verbal adverb)	Pokazavši
Verbal noun	Pokazivanje

Perfective aspect of the verb	Pokazati	Poh-kah-zah-tee
Imperfective aspect of the verb	Pokaz+iv+ati	Poh-kah-zee-vah-tee

78. To sing (Pjevati) Pyeh-vah-tee

Present tense (sadašnje vrijeme)	Aorist tense (Aorist)	Imperfect tense (Imperfekt)
Ja pjevam	Ja pjevah	Ja pjevah
Ti pjevaš	Ti pjeva	Ti pjevaše
On/ona/ono pjeva	On/ona/ono pjeva	On/ ona/ono pjevaše
Mi pjevamo	Mi pjevasmo	Mi pjevasmo
Vi pjevate	Vi pjevaste	Vi pjevaste
Oni/one pjevaju	Oni/onepjevaše	Oni/one pjevahu
Past tense (Perfekt)	**Pluperfect (Pluskvamperfekat)**	**Future tense (Futur I)**
Ja sam pjevao/pjevala	Ja sam bio pjevao/bila pjevala	Ja ću pjevati
Ti si pjevao/pjevala	Ti sibio pjevao/bila pjevala	Ti ćešpjevati
On je pjevao	On je bio pjevao	On/ona/ono će pjevati
Ona je pjevala	Ona je bila pjevala	Mi ćemo pjevati
Ono je pjevalo	Ono je bilo pjevalo	Vi ćete pjevati
Mi smo pjevali	Mi smo bili pjevali	Oni/one će pjevati
Vi ste pjevali	Vi ste bili pjevali	
Oni su pjevali	Oni su bili pjevali	
One su pjevale	One su bile pjevale	
Future tense (Futur II)	**Imperative (imperativ)**	**Conditional I (Potencijal I)**
Budem pjevao/pjevala	------------	Ja bih pjevao/pjevala
Budeš pjevao/pjevala	Pjevaj	Ti bi pjevao/pjevala
Bude pjevao/pjevala/pjevalo	------------	On bi pjevao/Ona bi pjevala /Ono bi pjevalo
Budemo pjevali	Pjevajmo	Mi bismo pjevali
Budete pjevali	Pjevajte	Vi biste pjevali
Budu pjevali/ pjevale	------------	Oni bi pjevali/One bi pjevale

Conditional II (Potencijal II)	
Ja bih pjevao/bila pjevala	Mi bismo bili pjevali
Ti bi bio bio pjevao/bila pjevala	Vi biste bili pjevali
On bi bio pjevao	Oni bi bili pjevali
Ona bi bila pjevala	One bi bile pjevali
Ono bi bilo pjevalo	Ona bi bila pjevala

Verbal adjective active	Male	Female	Neutral
Singular	Pjevao	Pjevala	Pjevalo
Plural	Pjevali	Pjevale	Pjevala

Verbal adjective passive	Male	Female	Neutral
Singular	Pjevan	Pjevana	Pjevano
Plural	Pjevani	Pjevane	Pjevana

Transgressive (Present Verbal adverb)	Pjevajući
Transgressive (Past Verbal adverb)	Pjevavši
Verbal noun	Pjevanje

Perfective aspect of the verb	Otpjevati	Ot-pyeh-vah-tee
Imperfective aspect of the verb	Pjevati	Pyeh-vah-tee

80. To sit down (Sjesti) Syeh- dee-tee

Present tense (sadašnje vrijeme)	Aorist tense (Aorist)	Imperfect tense (Imperfekt)
Ja sjedim	Ja sjedoh	Jasjeđah
Ti sjediš	Ti sjede	Ti sjeđaše
On/ona/ono sjedi	On/ona/ono sjede	On/ ona/ono sjeđaše
Mi sjedimo	Mi sjedosmo	Mi sjeđasmo
Vi sjedite	Vi sjediste	Vi sjeđaste
Oni/one sjede	Oni/one sjedoše	Oni/one sjeđahu
Past tense (Perfekt)	**Pluperfect (Pluskvamperfekat)**	**Future tense (Futur I)**
Ja sam sjedio/sjedila	Ja sam biosjedio/bila sjedila	Ja ću sjediti
Ti si sjedio/sjedila	Ti si bio sjedio/bila sjedila	Ti ćeššjediti
On je sjedio	On je bio sjedio	On/ona/ono će sjediti
Ona je sjedila	Ona je bila sjedila	Mi ćemo sjediti
Ono je sjedilo	Ono je bilo sjedilo	Vi ćete sjediti
Mi smo sjedili	Mi smo bili sjedili	Oni/one će sjediti
Vi ste sjedili	Vi ste bili sjedili	
Oni su sjedili	Oni su bili sjedili	
One su sjedile	One su bile sjedile	
Future tense (Futur II)	**Imperative (imperativ)**	**Conditional I (Potencijal I)**
Budem sjedio/sjedila	------------	Ja bih sjedio/sjedila
Budeš sjedio/sjedila	Sjedi	Ti bi sjedio/sjedila
Bude sjedio/sjedila/sjedilo	------------	On bi sjedio /Ona bi sjedila/Ono bi sjedilo
Budemo sjedili	Sjedimo	Mi bismosjedili
Budete sjedili	Sjedite	Vi biste sjedili
Budu sjedili /sjedile	------------	Oni bi sjedili/One bi sjedile

Conditional II (Potencijal II)	
Ja bih sjedio/bila sjedila	Mi bismo bili sjedili
Ti bi bio sjedio/bila sjedila	Vi biste bili sjedili
On bi bio sjedio	Oni bi bili sjedili
Ona bi bila sjedila	One bi bile sjedili
Ono bi bilo sjedilo	Ona bi bila sjedila

Verbal adjective active	Male	Female	Neutral
Singular	Sjedio	Sjedila	Sjedilo
Plural	Sjedili	Sjedile	Sjedila

Verbal adjective passive	Male	Female	Neutral
Singular	------	-------	-------
Plural	------	-------	-------

Transgressive (Present Verbal adverb)	Sjedeći
Transgressive (Past Verbal adverb)	Sjevši
Verbal noun	Sjedenje

Perfective aspect of the verb	Sjediti	Syeh- dee-tee
Imperfective aspect of the verb	Sjesti	Syeh-stee

81. To sleep (Spavati) Spah-vah-tee

Present tense (sadašnje vrijeme)	Aorist tense (Aorist)	Imperfect tense (Imperfekt)
Ja spavam	Ja spavah	Ja spavah
Ti spavaš	Ti spava	Ti spavaše
On/ona/ono spava	On/ona/ono spava	On/ ona/ono spavaše
Mi spavamo	Mi spavasmo	Mi spavasmo
Vi spavate	Vi spavaste	Vi spavaste
Oni/one spavaju	Oni/one spavaše	Oni/one spavahu

Past tense (Perfekt)	Pluperfect (Pluskvamperfekat)	Future tense (Futur I)
Ja sam spavao/spavala	Ja sam bio spavao/ bila spavala	Ja ću spavati
Ti si spavao/spavala	Ti sibio spavao/ bila spavala	Ti ćešspavati
On je spavao	On je bio spavao	On/ona/ono će spavati
Ona je spavala	Ona je bila spavala	Mi ćemo spavati
Ono je spavalo	Ono je bilo spavalo	Vi ćete spavati
Mi smo spavali	Mi smo bili spavali	Oni/one će spavati
Vi ste spavali	Vi ste bili spavali	
Oni su spavali	Oni su bili spavali	
One su spavale	One su bile spavale	

Future tense (Futur II)	Imperative (imperativ)	Conditional I (Potencijal I)
Budem spavao/spavala	-------------	Ja bih spavao/spavala
Budeš spavao/spavala	Spavaj	Ti bi spavao/spavala
Bude spavao/spavala/spavalo	------------	On bi spavao/Ona bi spavala /Ono bi spavalo
Budemo spavali	Spavajmo	Mi bismo spavali
Budete spavali	Spavajte	Vi biste spavali
Budu spavali/ spavale	-------------	Oni bi spavali/One bi spavale

Conditional II (Potencijal II)	
Ja bih spavao/ bila spavala	Mi bismo bili spavali
Ti bi bio spavao/ bila spavala	Vi biste bili spavali
On bi bio spavao	Oni bi bili spavali
Ona bi bila spavala	One bi bile spavale
Ono bi bilo spavalo	Ona bi bila spavala

Verbal adjective active	Male	Female	Neutral
Singular	Spavao	Spavala	Spavalo
Plural	Spavali	Spavale	Spavala

Verbal adjective passive	Male	Female	Neutral
Singular	Naspavan------	-------	-------
Plural	------	-------	-------

Transgressive (Present Verbal adverb)	Spavajući
Transgressive (Past Verbal adverb)	Spavavši
Verbal noun	Spavanje

Perfective aspect of the verb		-------------
Imperfective aspect of the verb	Spavati	Spah-vah-tee

82. To smile (Smiješiti se) Smee-yeh-shee-tee seh

Present tense (sadašnje vrijeme)	Aorist tense (Aorist)	Imperfect tense (Imperfekt)
Ja se smiješim	Ja se nasmiješih	Ja se smiješah
Ti se smiješiš	Ti se nasmiješi	Ti se smiješaše
On/ona/ono se smiješi	On/ona/ono se nasmiješi	On/ ona/ono se smiješaše
Mi se smiješimo	Mi se nasmiješismo	Mi se smiješasmo
Vi se smiješite	Vi se nasmiješiste	Vi se smiješaste
Oni/one se smiješe	Oni/one se nasmiješiše	Oni/one se smiješahu

Past tense (Perfekt)	Pluperfect (Pluskvamperfekat)	Future tense (Futur I)
Ja sam se smiješio/smiješila	Ja sam se biosmiješio/bila smiješila	Ja ću se smiješiti
Ti si se smiješio/smiješila	Ti si se biosmiješio/bila smiješila	Ti ćeš se smiješiti
On se smiješio	On se bio smiješio	On/ona/ono će se smiješiti
Ona se smiješila	Ona se bila smiješila	Mi ćemo se smiješiti
Ono se smiješilo	Ono se bilo smiješilo	Vi ćete se smiješiti
Mi smo se smiješili	Mi smo se bili smiješili	Oni/one će se smiješiti
Vi ste se smiješili	Vi ste se bili smiješili	
Oni su se smiješili	Oni su se bili smiješili	
One su se smiješile	One su se bile smiješile	

Future tense (Futur II)	Imperative (imperativ)	Conditional I (Potencijal I)
Budem se smiješio/smiješila	------------	Ja bih se smiješio/smiješila
Budeš se smiješio/smiješila	Smiješi se	Ti bi se smiješio/smiješila
Bude se smiješio/smiješila/smiješilo	------------	On bi se smiješio/Ona bi se smiješila/Ono bi se smiješilo
Budemo se smiješili	Smiješimo se	Mi bismo se smiješili
Budete se smiješili	Smiješite se	Vi biste se smiješili
Budu se smiješili/ smiješile	------------	Oni bi se smiješili/One bi se smiješile

Conditional II (Potencijal II)	
Ja bih se bio smiješio/bila smiješila	Mi bismo se bili smiješili
Ti bi bio se bio smiješio/bila smiješila	Vi biste se bili smiješili
On bi se bio smiješio	Oni bi se bili smiješili
Ona bi se bila smiješila	One bi se bile smiješile
Ono bi se bilo smiješilo	Ona bi sebila smiješila

Verbal adjective active	Male	Female	Neutral
Singular	smiješio	smiješila	smiješilo
Plural	smiješili	smiješile	smiješila

Verbal adjective passive	Male	Female	Neutral
Singular	nasmijan	nasmijana	nasmijano
Plural	nasmijani	nasmijane	nasmijana

Transgressive (Present Verbal adverb)	Smiješeći
Transgressive (Past Verbal adverb)	Smiješivši
Verbal noun	Smiješenje

Perfective aspect of the verb	Na+ smiješiti se	Na + smee-yeh-shee-tee seh
Imperfective aspect of the verb	Smiješiti se	Smee-yeh-shee-tee seh

83.   To speak (Govoriti) Goh-voh-ree-tee

Present tense (sadašnje vrijeme)	Aorist tense (Aorist)	Imperfect tense (Imperfekt)
Ja govorim	Ja govorih	Jagovorah
Ti govoriš	Ti govori	Ti govoraše
On/ona/ono govori	On/ona/ono govori	On/ ona/ono govoraše
Mi govorimo	Mi govorismo	Mi govorasmo
Vi govorite	Vi govoriste	Vi govoraste
Oni/one govore	Oni/one govoriše	Oni/one govorahu
Past tense (Perfekt)	**Pluperfect (Pluskvamperfekat)**	**Future tense (Futur I)**
Ja sam govorio/govorila	Ja sam biogovorio/bila govorila	Ja ću govoriti
Ti si govorio/govorila	Ti sibiogovorio/bila govorila	Ti češgovoriti
On je govorio	On je bio govorio	On/ona/ono će govoriti
Ona je govorila	Ona je bila govorila	Mi ćemo govoriti
Ono je govorilo	Ono je bilo govorilo	Vi ćete govoriti
Mi smo govorili	Mi smo bili govorili	Oni/one će govoriti
Vi ste govorili	Vi ste bili govorili	
Oni su govorili	Oni su bili govorili	
One su govorile	One su bile govorile	
Future tense (Futur II)	**Imperative (imperativ)**	**Conditional I (Potencijal I)**
Budem govorio/govorila	------------	Ja bih govorio/govorila
Budeš govorio/govorila	Govori	Ti bi govorio/govorila
Bude govorio/govorila/govorilo	------------	On bi govorio/Ona bi govorila /Ono bi govorilo
Budemo govorili	Govorimo	Mi bismogovorili
Budete govorili	Govorite	Vi biste govorili
Budu govorili/ govorile	------------	Oni bi govorili/One bi govorile

Conditional II (Potencijal II)	
Ja bih govorio/bila govorila	Mi bismo bili govorili
Ti bi bio govorio/bila govorila	Vi biste bili govorili
On bi bio govorio	Oni bi bili govorili
Ona bi bila govorila	One bi bile govorile
Ono bi bilo govorilo	Ona bi bila govorila

Verbal adjective active	Male	Female	Neutral
Singular	Govorio	Govorila	Govorilo
Plural	Govorili	Govorile	Govorila

Verbal adjective passive	Male	Female	Neutral
Singular	Izgovoren	Govorena	Govoreno
Plural	Govoreni	Govorene	Govorena

Transgressive (Present Verbal adverb)	Govoreći
Transgressive (Past Verbal adverb)	Govorivši
Verbal noun	Govorenje

Perfective aspect of the verb	-------------	-------------
Imperfective aspect of the verb	Govoriti	Goh-voh-ree-tee

84. To stand (Stojati) Stoh-yah-tee

Present tense (sadašnje vrijeme)	Aorist tense (Aorist)	Imperfect tense (Imperfekt)
Ja stojim	Ja stojah	Ja stojah
Ti stojiš	Ti stoja	Ti stajaše
On/ona/ono stoji	On/ona/ono stoja	On/ ona/ono stajaše
Mi stojimo	Mi stojasmo	Mi stajasmo
Vi stojite	Vi stojaste	Vi stajaste
Oni/one stoje	Oni/one stojaše	Oni/one stajahu

Past tense (Perfekt)	Pluperfect (Pluskvamperfekat)	Future tense (Futur I)
Ja sam stojao/stojala	Ja sam bio stojao/bila stojala	Ja ću stojati
Ti si stojao/stojala	Ti si bio stojao/bila stojala	Ti ćeš stojati
On je stojao	On je bio stojao	On/ona/ono će stojati
Ona je stojala	Ona je bila stojala	Mi ćemo stojati
Ono je stojalo	Ono je bilo stojalo	Vi ćete stojati
Mi smo stojali	Mi smo bili stojali	Oni/one će stojati
Vi ste stojali	Vi ste bili stojali	
Oni su stojali	Oni su bili stojali	
One su stojale	One su bile stojale	

Future tense (Futur II)	Imperative (imperativ)	Conditional I (Potencijal I)
Budem stojao/stojala	-----------	Ja bih stojao/stojala
Budeš stojao/stojala	Stoj	Ti bi stojao/stojala
Bude stojao/stojala/stojalo	-----------	On bi stojao/Ona bi stojala/Ono bi stojalo
Budemo stojali	Stojmo	Mi bismo stojali
Budete stojali	Stojte	Vi biste stojali
Budu stojali/ stojale	-----------	Oni bi stojali/One bi stojale

Conditional II (Potencijal II)	
Ja bih stojao/bila stojala	Mi bismo bili stojali
Ti bi bio stojao/bila stojala	Vi biste bili stojali
On bi bio stojao	Oni bi bili stojali
Ona bi bila stojala	One bi bile stojali
Ono bi bilo stojalo	Ona bi bila stojala

Verbal adjective active	Male	Female	Neutral
Singular	Stojao	Stojala	Stojalo
Plural	Stojali	Stojale	Stojala

Verbal adjective passive	Male	Female	Neutral
Singular	------	-------	-------
Plural	------	-------	-------

Transgressive (Present Verbal adverb)	Stojeći
Transgressive (Past Verbal adverb)	------
Verbal noun	Stojanje

Perfective aspect of the verb	Stojati	Stoh-yah-tee
Imperfective aspect of the verb	St+a+jati	St+ah+yatee

85. To start (Početi) Poh-cheh-tee

Present tense (sadašnje vrijeme)	Aorist tense (Aorist)	Imperfect tense (Imperfekt)
Ja počnem/počinjem	Ja počeh	Ja počinjah
Ti počneš/počinješ	Ti poče	Ti počinjaše
On/ona/ono počne/počinje	On/ona/ono poče	On/ ona/ono počinjaše
Mi počnemo/počinjemo	Mi počesmo	Mi počinjasmo
Vi počnete/počinjete	Vi počeste	Vi počinjaste
Oni/one počnu/počinju	Oni/one počeše	Oni/one počinjahu

Past tense (Perfekt)	Pluperfect (Pluskvamperfekat)	Future tense (Futur I)
Ja sam počeo/počela	Ja sam biopočeo/bila počela	Ja ću početi
Ti si počeo/počela	Ti sibiopočeo/bila počela	Ti ćešpočeti
On je počeo	On je bio počeo	On/ona/ono će početi
Ona je počela	Ona je bila stojala	Mi ćemo početi
Ono je počelo	Ono je bilo počelo	Vi ćete početi
Mi smo počeli	Mi smo bili počeli	Oni/one će početi
Vi ste počeli	Vi ste bili počeli	
Oni su počeli	Oni su bili počeli	
One su počele	One su bile počele	

Future tense (Futur II)	Imperative (imperativ)	Conditional I (Potencijal I)
Budem počeo/počela	-------------	Ja bih počeo/počela
Budeš počeo/počela	Počni	Ti bi počeo/počela
Bude počeo/počela/počelo	------------	On bi počeo/Ona bi stojala/Ono bi počelo
Budemo počeli	Počnimo	Mi bismopočeli
Budete počeli	Počnite	Vi biste počeli
Budu počeli/počele	-------------	Oni bi počeli/One bi počele

Conditional II (Potencijal II)	
Ja bih počeo/bila počela	Mi bismo bili počeli
Ti bi bio počeo/bila počela	Vi biste bili počeli
On bi bio počeo	Oni bi bili počeli
Ona bi bila počela	One bi bile počeli
Ono bi bilo počelo	Ona bi bila počela

Verbal adjective active	Male	Female	Neutral
Singular	Počeo	Počela	Počelo
Plural	Počeli	Počele	Počela

Verbal adjective passive	Male	Female	Neutral
Singular	Počet	Početa	Početo
Plural	Početi	Počete	Početa

Transgressive (Present Verbal adverb)	Počinjući
Transgressive (Past Verbal adverb)	Počevši
Verbal noun	------------

Perfective aspect of the verb	Početi	Poh-cheh-tee
Imperfective aspect of the verb	Poč+inja+ti	Po-chee-nyah-tee

86. To stay (Ostati) Os-tah-tee

Present tense (sadašnje vrijeme)	Aorist tense (Aorist)	Imperfect tense (Imperfekt)
Ja ostanem/ostajem	Ja ostah	Jaostajah
Ti ostaneš/ostaješ	Ti osta	Ti ostajaše
On/ona/ono ostane/ostaje	On/ona/ono osta	On/ ona/ono ostajaše
Mi ostanemo/ostajemo	Mi ostasmo	Mi ostajasmo
Viostanete/ostajete	Vi ostaste	Vi ostajaste
Oni/one ostanu/ostaju	Oni/oneostaše	Oni/one ostajahu
Past tense (Perfekt)	**Pluperfect (Pluskvamperfekat)**	**Future tense (Futur I)**
Ja sam ostao/ostala	Ja sam bioostao/bila ostala	Ja ću ostati
Ti si ostao/ostala	Ti sibioostao/bila ostala	Ti ćešostati
On je ostao	On je bio ostao	On/ona/ono će ostati
Ona je ostala	Ona je bila ostala	Mi ćemo ostati
Ono je ostalo	Ono je bilo ostalo	Vi ćete ostati
Mi smo ostali	Mi smo bili ostali	Oni/one će ostati
Vi ste ostali	Vi ste bili ostali	
Oni su ostali	Oni su bili ostali	
One su ostale	One su bile ostale	
Future tense (Futur II)	**Imperative (imperativ)**	**Conditional I (Potencijal I)**
Budem ostao/ostala	------------	Ja bih ostao/ostala
Budeš ostao/ostala	Ostani	Ti bi ostao/ostala
Bude ostao/ostala/ostalo	------------	On bi ostao/Ona bi ostala/Ono bi ostalo
Budemo ostali	Ostanimo	Mi bismoostali
Budete ostali	Ostanite	Vi biste ostali
Budu ostali/ostale	------------	Oni bi ostali/One bi ostale

Conditional II (Potencijal II)	
Ja bih ostao/bila ostala	Mi bismo bili ostali
Ti bi bio ostao/bila ostala	Vi biste bili ostali
On bi bio ostao	Oni bi bili ostali
Ona bi bila ostala	One bi bile ostale
Ono bi bilo ostalo	Ona bi bila ostala

Verbal adjective active	Male	Female	Neutral
Singular	Ostao	Ostala	Ostalo
Plural	Ostali	Ostale	Ostala

Verbal adjective passive	Male	Female	Neutral
Singular	------	-------	-------
Plural	------	-------	-------

Transgressive (Present Verbal adverb)	Ostajući
Transgressive (Past Verbal adverb)	Ostavši
Verbal noun	**Ostajanje**

Perfective aspect of the verb	Ostati	Os-tah-tee
Imperfective aspect of the verb	Osta+ja+ti	Os-tah-yah-tee

87. To take (Uzeti) Oo-zeh-tee

Present tense (sadašnje vrijeme)	Aorist tense (Aorist)	Imperfect tense (Imperfekt)
Ja uzmem/uzimam	Ja uzeh	Ja uzimah
Ti uzmeš/uzimaš	Ti uze	Ti uzimaše
On/ona/ono uzme/uzima	On/ona/ono uze	On/ ona/ono uzimaše
Mi uzmemo/uzimamo	Mi uzesmo	Mi uzimasmo
Vi uzmete/uzimate	Vi uzeste	Vi uzimaste
Oni/one uzmu/uzimaju	Oni/one uzeše	Oni/one uzimahu
Past tense (Perfekt)	**Pluperfect (Pluskvamperfekat)**	**Future tense (Futur I)**
Ja sam uzeo/uzela	Ja sam biouzeo/bila uzela	Ja ću uzeti
Ti si uzeo/uzela	Ti sibiouzeo/bila uzela	Ti ćešuzeti
On je uzeo	On je bio uzeo	On/ona/ono će uzeti
Ona je uzela	Ona je bila uzela	Mi ćemo uzeti
Ono je uzelo	Ono je bilo uzelo	Vi ćete uzeti
Mi smo uzeli	Mi smo bili uzeli	Oni/one će uzeti
Vi ste uzeli	Vi ste bili uzeli	
Oni su uzeli	Oni su bili uzeli	
One su uzele	One su bile uzele	
Future tense (Futur II)	**Imperative (imperativ)**	**Conditional I (Potencijal I)**
Budem uzeo/uzela	------------	Ja bih uzeo/uzela
Budeš uzeo/uzela	Uzmi	Ti bi uzeo/uzela
Bude uzeo/uzela/uzelo	------------	On bi uzeo/Ona bi uzela/Ono bi uzelo
Budemo uzeli	Uzmimo	Mi bismouzeli
Budete uzeli	Uzmite	Vi biste uzeli
Budu uzeli/uzele	------------	Oni bi uzeli/One bi uzele

Conditional II (Potencijal II)	
Ja bih bio uzeo/bila uzela	Mi bismo bili uzeli
Ti bi bio uzeo/bila uzela	Vi biste bili uzeli
On bi bio uzeo	Oni bi bili uzeli
Ona bi bila uzela	One bi bile uzele
Ono bi bilo uzelo	Ona bi bila uzela

Verbal adjective active	Male	Female	Neutral
Singular	Uzeo	Uzela	Uzelo
Plural	Uzeli	Uzele	Uzela

Verbal adjective passive	Male	Female	Neutral
Singular	Uzet	Uzeta	Uzeto
Plural	Uzeti	Uzete	Uzeta

Transgressive (Present Verbal adverb)	Uzimajući
Transgressive (Past Verbal adverb)	Uzevši
Verbal noun	Uzimanje

Perfective aspect of the verb	Uzeti	Oo-zeh-tee
Imperfective aspect of the verb	Uz+ima+ti	Oozee-mah-tee

88.   To talk (Razgovarati) Raz-goh-vah-rah-tee

Present tense (sadašnje vrijeme)	Aorist tense (Aorist)	Imperfect tense (Imperfekt)
Ja razgovaram	Ja razgovorih	Jarazgovarah
Ti razgovaraš	Ti razgovori	Ti razgovaraše
On/ona/ono razgovara	On/ona/ono razgovori	On/ ona/ono razgovaraše
Mi razgovaramo	Mi razgovorismo	Mi razgovarasmo
Vi razgovarate	Vi razgovoriste	Vi razgovaraste
Oni/one razgovaraju	Oni/onerazgovoriše	Oni/one razgovarahu
Past tense (Perfekt)	**Pluperfect (Pluskvamperfekat)**	**Future tense (Futur I)**
Ja sam razgovarao/razgovarala	Ja sam bio razgovarao/bila razgovarala	Ja ću razgovarati
Ti si razgovarao/razgovarala	Ti sibiorazgovarao/bila razgovarala	Ti ćešrazgovarati
On je razgovarao	On je bio razgovarao	On/ona/ono će razgovarati
Ona jerazgovarala	Ona je bila razgovarala	Mi ćemo razgovarati
Ono je razgovaralo	Ono je bilo razgovaralo	Vi ćete razgovarati
Mi smo razgovarali	Mi smo bili razgovarali	Oni/one će razgovarati
Vi ste razgovarali	Vi ste bili razgovarali	
Oni su razgovarali	Oni su bili razgovarali	
One su razgovarale	One su bile razgovarale	
Future tense (Futur II)	**Imperative (imperativ)**	**Conditional I (Potencijal I)**
Budem razgovarao/razgovarala	------------	Ja bih razgovarao/razgovarala
Budeš razgovarao/razgovarala	Razgovaraj	Ti bi razgovarao/razgovarala
Bude razgovarao/razgovarala/razgovaralo	------------	On bi razgovarao/Ona bi razgovarala/Ono bi razgovaralo
Budemo razgovarali	Razgovarajmo	Mi bismorazgovarali
Budete razgovarali	Razgovarajte	Vi biste razgovarali
Budu razgovarali/razgovarale	------------	Oni bi razgovarali/One bi razgovarale

Conditional II (Potencijal II)	
Ja bih razgovarao/bila razgovarala	Mi bismo bili razgovarali
Ti bi bio razgovarao/bila razgovarala	Vi biste bili razgovarali
On bi bio razgovarao	Oni bi bili razgovarali
Ona bi bila razgovarala	One bi bile razgovarali
Ono bi bilo razgovaralo	Ona bi bila razgovarala

Verbal adjective active	Male	Female	Neutral
Singular	Razgovarao	Razgovarala	Razgovaralo
Plural	Razgovarali	Razgovarale	Razgovarala

Verbal adjective passive	Male	Female	Neutral
Singular	Razgovaran	Razgovarana	Razgovarano
Plural	Razgovarani	Razgovarane	Razgovarana

Transgressive (Present Verbal adverb)	Razgovarajući
Transgressive (Past Verbal adverb)	Razgovaravši
Verbal noun	Razgovaranje

Perfective aspect of the verb	Razgovoriti	Raz-goh-voh-ree-tee
Imperfective aspect of the verb	Razgovarati	Raz-goh-vah-rah-tee

89. To teach (Podučavati) Poh-doo-chah-vah-tee

Present tense (sadašnje vrijeme)	Aorist tense (Aorist)	Imperfect tense (Imperfekt)
Ja podučavam	Ja podučih	Japodučavah
Ti podučavaš	Ti poduči	Ti podučavaše
On/ona/ono podučava	On/ona/ono poduči	On/ ona/ono podučavaše
Mi podučavamo	Mi podučismo	Mi podučavasmo
Vi podučavate	Vi podučiste	Vi podučavaste
Oni/one podučavaju	Oni/onepodučiše	Oni/one podučavahu

Past tense (Perfekt)	Pluperfect (Pluskvamperfekat)	Future tense (Futur I)
Ja sam podučavao/podučavala	Ja sam bio podučavao/bilapodučavala	Ja ću podučavati
Ti si podučavao/podučavala	Ti sibiopodučavao/bilapodučavala	Ti češpodučavati
On je podučavao	On je bio podučavao	On/ona/ono će podučavati
Ona je podučavala	Ona je bila podučavala	Mi ćemo podučavati
Ono je podučavalo	Ono je bilo podučavalo	Vi ćete podučavati
Mi smo podučavali	Mi smo bili podučavali	Oni/one će podučavati
Vi ste podučavali	Vi ste bili podučavali	
Oni su podučavali	Oni su bili podučavali	
One su podučavale	One su bile podučavale	

Future tense (Futur II)	Imperative (imperativ)	Conditional I (Potencijal I)
Budem podučavao/podučavala	------------	Ja bih podučavao/podučavala
Budeš podučavao/podučavala	Podučavaj	Ti bi podučavao/podučavala
Bude podučavao/ podučavala/podučavalo	------------	On bi podučavao /Ona bi podučavala/Ono bi podučavalo
Budemo podučavali	Podučavajmo	Mi bismopodučavali
Budete podučavali	Podučavajte	Vi biste podučavali
Budu podučavali / podučavale	------------	Oni bi podučavali/One bi podučavale

Conditional II (Potencijal II)	
Ja bih podučavao/bila podučavala	Mi bismo bili podučavali
Ti bi bio podučavao/bila podučavala	Vi biste bili podučavali
On bi bio podučavao	Oni bi bili podučavalii
Ona bi bila podučavala	One bi bile podučavale
Ono bi bilo podučavalo	Ona bi bila podučavala

Verbal adjective active	Male	Female	Neutral
Singular	Poducavao	Poducavala	Poducavalo
Plural	Poducavali	Poducavale	Poducavala

Verbal adjective passive	Male	Female	Neutral
Singular	Poducavan	Poducavana	Poducavano
Plural	Poducavani	Poducavane	Poducavana

Transgressive (Present Verbal adverb)	Poducavajuci
Transgressive (Past Verbal adverb)	Poducivsi
Verbal noun	Poducavanje

Perfective aspect of the verb	Poduciti	Poh-doo-chee-tee
Imperfective aspect of the verb	Poduc+ava+ti	Poh-doo-chah-vah-tee

90.   To think (Misliti) Mees-lee-tee

Present tense (sadašnje vrijeme)	Aorist tense (Aorist)	Imperfect tense (Imperfekt)
Ja mislim	Ja mislih	Ja mišljah
Ti misliš	Ti misli	Ti mišljaše
On/ona/ono misli	On/ona/ono misli	On/ ona/ono mišljaše
Mi mislimo	Mi mislismo	Mi mišljasmo
Vimislite	Vi misliste	Vi mišljaste
Oni/one misle	Oni/onemisliše	Oni/one mišljahu
Past tense (Perfekt)	**Pluperfect (Pluskvamperfekat)**	**Future tense (Futur I)**
Ja sam mislio/mislila	Ja sam bio mislio/bila mislila	Ja ću misliti
Ti si mislio/mislila	Ti sibiomislio/bila mislila	Ti ćeš misliti
On je mislio	On je bio mislio	On/ona/ono će misliti
Ona je mislila	Ona je bila mislila	Mi ćemo misliti
Ono je mislilo	Ono je bilo mislilo	Vi ćete misliti
Mi smo mislili	Mi smo bili mislili	Oni/one će misliti
Vi ste mislili	Vi ste bili mislili	
Oni su mislili	Oni su bili mislili	
One su mislile	One su bile mislile	
Future tense (Futur II)	**Imperative (imperativ)**	**Conditional I (Potencijal I)**
Budem mislio/mislila	-------------	Ja bih mislio/mislila
Budeš mislio/mislila	Misli	Ti bi mislio/mislila
Bude mislio/mislila/mislilo	------------	On bi mislio/Ona bi mislila/Ono bi mislilo
Budemo mislili	Mislimo	Mi bismomislili
Budete mislili	Mislite	Vi biste mislili
Budu mislili/ mislile	-------------	Oni bi mislili/One bi mislile

Conditional II (Potencijal II)	
Ja bih bio mislio/bila mislila	Mi bismo bili mislili
Ti bi bio mislio/bila mislila	Vi biste bili mislili
On bi bio mislio	Oni bi bili mislili
Ona bi bila mislila	One bi bile mislile
Ono bi bilo mislilo	Ona bi bila mislila

Verbal adjective active	Male	Female	Neutral
Singular	Mislio	Mislila	Mislilo
Plural	Mislili	Mislile	Mislila

Verbal adjective passive	Male	Female	Neutral
Singular	ZamMišljen	Mišljena	Mišljeno
Plural	Mišljeni	Mišljene	Mišljena

Transgressive (Present Verbal adverb)	Misleći
Transgressive (Past Verbal adverb)	Mislivši
Verbal noun	Mišljenje

Perfective aspect of the verb	Razmisliti	-------------
Imperfective aspect of the verb	Misliti	Mees-lee-tee

91.   To touch (Dirati) Dee-rah-tee

Present tense (sadašnje vrijeme)	Aorist tense (Aorist)	Imperfect tense (Imperfekt)
Ja diram	Ja dirnuh	Ja dirah
Ti diraš	Ti dirnu	Ti diraše
On/ona/ono dira	On/ona/ono dirnu	On/ ona/ono diraše
Mi diramo	Mi dirnusmo	Mi dirasmo
Vi dirate	Vi dirnusmo	Vi diraste
Oni/one diraju	Oni/one dirnuše	Oni/one dirahu
Past tense (Perfekt)	**Pluperfect (Pluskvamperfekat)**	**Future tense (Futur I)**
Ja sam dirao/dirala	Ja sam biodirao/bila dirala	Ja ću dirati
Ti si dirao/dirala	Ti sibiodirao/bila dirala	Ti ćeš dirati
On je dirao	On je bio dirao	On/ona/ono će dirati
Ona je dirala	Ona je bila dirala	Mi ćemo dirati
Ono je diralo	Ono je bilo diralo	Vi ćete dirati
Mi smo dirali	Mi smo bili dirali	Oni/one će dirati
Vi ste dirali	Vi ste bili dirali	
Oni su dirali	Oni su bili dirali	
One su dirale	One su bile dirale	
Future tense (Futur II)	**Imperative (imperativ)**	**Conditional I (Potencijal I)**
Budem dirao/dirala	-------------	Ja bih dirao/dirala
Budeš dirao/dirala	Diraj	Ti bi dirao/dirala
Bude dirao/dirala/diralo	------------	On bi dirao/Ona bi dirala/Ono bi diralo
Budemo dirali	Dirajmo	Mi bismo dirali
Budete dirali	Dirajte	Vi biste dirali
Budu dirali/dirale	------------	Oni bi dirali/One bi dirale

Conditional II (Potencijal II)	
Ja bih biodirao/bila dirala	Mi bismo bili dirali
Ti bibiodirao/bila dirala	Vi biste bili dirali
On bi bio dirao	Oni bi bili dirali
Ona bi bila dirala	One bi bile dirale
Ono bi bilo diralo	Ona bi bila dirala

Verbal adjective active	Male	Female	Neutral
Singular	Dirao	Dirala	Diralo
Plural	Dirali	Dirale	Dirala

Verbal adjective passive	Male	Female	Neutral
Singular	Diran	Dirana	Dirano
Plural	Dirani	Dirane	Dirana

Transgressive (Present Verbal adverb)	Dirajući
Transgressive (Past Verbal adverb)	Dirnuvši
Verbal noun	Diranje

Perfective aspect of the verb	Dir+nu+ti	Deer-noo-tee
Imperfective aspect of the verb	Dirati	Dee-rah-tee

92. To travel (Putovati) Poo-toh-vah-tee

Present tense (sadašnje vrijeme)	Aorist tense (Aorist)	Imperfect tense (Imperfekt)
Ja putujem	Ja putovah	Japutovah
Ti putuješ	Ti putova	Ti putovaše
On/ona/ono putuje	On/ona/ono putova	On/ ona/ono putovaše
Mi putujemo	Mi putovasmo	Mi putovasmo
Vi putujete	Vi putovaste	Vi putovasmo
Oni/one putuju	Oni/oneputovaše	Oni/one putovahu

Past tense (Perfekt)	Pluperfect (Pluskvamperfekat)	Future tense (Futur I)
Ja sam putovao/putovala	Ja sam bioputovao/bila putovala	Ja ću putovati
Ti si putovao/putovala	Ti sibioputovao/bila putovala	Ti ćešputovati
On je putovao	On je bio putovao	On/ona/ono će putovati
Ona je putovala	Ona je bila putovala	Mi ćemo putovati
Ono je putovalo	Ono je bilo putovalo	Vi ćete putovati
Mi smo putovali	Mi smo bili putovali	Oni/one će putovati
Vi ste putovali	Vi ste bili putovali	
Oni su putovali	Oni su bili putovali	
One su putovale	One su bile putovale	

Future tense (Futur II)	Imperative (imperativ)	Conditional I (Potencijal I)
Budem putovao/putovala	------------	Ja bih putovao/putovala
Budeš putovao/putovala	Putuj	Ti bi putovao/putovala
Bude putovao/putovala/putovalo	------------	On bi putovao/Ona bi putovala/Ono bi putovalo
Budemo putovali	Putujmo	Mi bismoputovali
Budete putovali	Putujte	Vi biste putovali
Budu putovali/putovale	------------	Oni bi putovali/One bi putovale

Conditional II (Potencijal II)	
Ja bih bioputovao/bila putovala	Mi bismo bili putovali
Ti bibio putovao/bila putovala	Vi biste bili putovali
On bi bio putovao	Oni bi bili putovali
Ona bi bila putovala	One bi bile putovale
Ono bi bilo putovalo	Ona bi bila putovala

Verbal adjective active	Male	Female	Neutral
Singular	Putovao	Putovala	Putovalo
Plural	Putovali	Putovale	Putovala

Verbal adjective passive	Male	Female	Neutral
Singular	------	-------	-------
Plural	------	-------	-------

Transgressive (Present Verbal adverb)	Putujući
Transgressive (Past Verbal adverb)	------
Verbal noun	Putovanje

Perfective aspect of the verb	Otputovati	Ot-poo-toh-vah-tee
Imperfective aspect of the verb	Putovati	Poo-toh-vah-tee

93. To understand (Razumjeti) Rah-zoom-yeh-tee

Present tense (sadašnje vrijeme)	Aorist tense (Aorist)	Imperfect tense (Imperfekt)
Ja razumijem	Ja razumjeh	Jarazumijevah
Ti razumiješ	Ti razumje	Ti razumijevaše
On/ona/ono razumije	On/ona/ono razumje	On/ ona/ono razumijevaše
Mi razumijemo	Mi razumjesmo	Mi razumijevasmo
Vi razumijete	Vi razumjeste	Vi razumijevaste
Oni/one razumiju	Oni/onerazumješe	Oni/one razumijevahu

Past tense (Perfekt)	Pluperfect (Pluskvamperfekat)	Future tense (Futur I)
Ja sam razumio/razumjela	Ja sam biorazumio/bila razumjela	Ja ću razumjeti
Ti si razumio/razumjela	Ti sibiorazumio/bila razumjela	Ti ćešrazumjeti
On je razumio	On je bio razumio	On/ona/ono će razumjeti
Ona je razumjela	Ona je bila razumjela	Mi ćemo razumjeti
Ono je razumjelo	Ono je bilo razumjelo	Vi ćete razumjeti
Mi smo razumjeli	Mi smo bili razumjeli	Oni/one će razumjeti
Vi ste razumjeli	Vi ste bili razumjeli	
Oni su razumjeli	Oni su bili razumjeli	
One su razumjele	One su bile razumjele	

Future tense (Futur II)	Imperative (imperativ)	Conditional I (Potencijal I)
Budem razumio/razumjela	------------	Ja bih razumio/razumjela
Budeš razumio/razumjela	Razumi	Ti bi razumio/razumjela
Bude razumio/razumjela/razumjelo	------------	On bi razumio /Ona bi razumjela/Ono bi razumjelo
Budemo razumjeli	Razumimo	Mi bismorazumjeli
Budete razumjeli	Razumite	Vi biste razumjeli
Budu razumjeli/ razumjele	------------	Oni bi razumjeli/One bi razumjele

Conditional II (Potencijal II)	
Ja bih biorazumio/bila razumjela	Mi bismo bili razumjeli
Ti bi bio razumio/bila razumjela	Vi biste bili razumjeli
On bi bio razumio	Oni bi bili razumjeli
Ona bi bila razumjela	One bi bile razumjele
Ono bi bilo razumjelo	Ona bi bila razumjela

Verbal adjective active	Male	Female	Neutral
Singular	Razumio	Razumjela	Razumjelo
Plural	Razumjeli	Razumjele	Razumjela

Verbal adjective passive	Male	Female	Neutral
Singular	Razuman	-------	-------
Plural	------	-------	-------

Transgressive (Present Verbal adverb)	Razumijući
Transgressive (Past Verbal adverb)	Razumivši
Verbal noun	------------

Perfective aspect of the verb	Razumjeti	Rah-zoom-yeh-tee
Imperfective aspect of the verb	Razumijevati	Rah-zoom-eeyeh-vah- tee

94. To use (Koristiti) Koh-rees-tee-tee

Present tense (sadašnje vrijeme)	Aorist tense (Aorist)	Imperfect tense (Imperfekt)
Ja koristim	Ja koristih	Ja korišćah
Ti koristiš	Ti koristi	Ti korišćaše
On/ona/ono koristi	On/ona/ono koristi	On/ ona/ono korišćaše
Mi koristimo	Mi koristismo	Mi korišćasmo
Vi koristite	Vi korististe	Vi korišćaste
Oni/one koriste	Oni/one koristiše	Oni/one korišćahu

Past tense (Perfekt)	Pluperfect (Pluskvamperfekat)	Future tense (Futur I)
Ja sam koristio/koristila	Ja sam biokoristio/bila koristila	Ja ću koristiti
Ti si koristio/koristila	Ti sibiokoristio/bila koristila	Ti ćeškoristiti
On je koristio	On je bio koristio	On/ona/ono će koristiti
Ona je koristila	Ona je bila koristila	Mi ćemo koristiti
Ono je koristilo	Ono je bilo koristilo	Vi ćete koristiti
Mi smo koristili	Mi smo bili koristili	Oni/one će koristiti
Vi ste koristili	Vi ste bili koristili	
Oni su koristili	Oni su bili koristili	
One su koristile	One su bile koristile	

Future tense (Futur II)	Imperative (imperativ)	Conditional I (Potencijal I)
Budem koristio/koristila	------------	Ja bih koristio/koristila
Budeš koristio/koristila	Koristi	Ti bi koristio/koristila
Bude koristio/koristila/koristilo	------------	On bi koristio/Ona bi koristila /Ono bi koristilo
Budemo koristili	Koristimo	Mi bismokoristili
Budete koristili	Koristite	Vi biste koristili
Budu koristili/koristile	------------	Oni bi koristili/One bi koristile

Conditional II (Potencijal II)	
Ja bih biokoristio/bila koristila	Mi bismo bili koristili
Ti bi bio koristio/bila koristila	Vi biste bili koristili
On bi bio koristio	Oni bi bili koristili
Ona bi bila koristila	One bi bile koristile
Ono bi bilo koristilo	Ona bi bila koristila

Verbal adjective active	Male	Female	Neutral
Singular	Koristio	Koristila	Koristilo
Plural	Koristili	Koristile	Koristila

Verbal adjective passive	Male	Female	Neutral
Singular	Koristan	Korisna	Korisno
Plural	Korisni	Korisne	Korisna

Transgressive (Present Verbal adverb)	Koristeći
Transgressive (Past Verbal adverb)	Koristivši
Verbal noun	Korištenje

Perfective aspect of the verb	------------	------------
Imperfective aspect of the verb	Koristiti	Koh-rees-tee-tee

95. To wait (Čekati) Cheh-kah-tee

Present tense (sadašnje vrijeme)	Aorist tense (Aorist)	Imperfect tense (Imperfekt)
Ja čekam	Ja čekah	Ja čekah
Ti čekaš	Ti čeka	Ti čekaše
On/ona/ono čeka	On/ona/ono čeka	On/ ona/ono čekaše
Mi čekamo	Mi čekasmo	Mi čekasmo
Vi čekate	Vi čekaste	Vi čekaste
Oni/one čekaju	Oni/one čekaše	Oni/one čekahu

Past tense (Perfekt)	Pluperfect (Pluskvamperfekat)	Future tense (Futur I)
Ja sam čekao/čekala	Ja sam biočekao/bila čekala	Ja ću čekati
Ti si čekao/čekala	Ti sibiočekao/bila čekala	Ti ćeščekati
On je čekao	On je bio čekao	On/ona/ono će čekati
Ona je čekala	Ona je bila čekala	Mi ćemo čekati
Ono je čekalo	Ono je bilo čekalo	Vi ćete čekati
Mi smo čekali	Mi smo bili čekali	Oni/one će čekati
Vi ste čekali	Vi ste bili čekali	
Oni su čekali	Oni su bili čekali	
One su čekale	One su bile čekale	

Future tense (Futur II)	Imperative (imperativ)	Conditional I (Potencijal I)
Budem čekao/čekala	-------------	Ja bih čekao/čekala
Budeš čekao/čekala	Čekaj	Ti bi čekao/čekala
Bude čekao/čekala/čekalo	------------	On bi čekao/Ona bi čekala/Ono bi čekalo
Budemo čekali	Čekajmo	Mi bismočekali
Budete čekali	Čekajte	Vi biste čekali
Budu čekali/ čekale	-------------	Oni bi čekali/One bi čekale

Conditional II (Potencijal II)	
Ja bih biočekao/bila čekala	Mi bismo bili čekali
Ti bi bio čekao/bila čekala	Vi biste bili čekali
On bi bio čekao	Oni bi bili čekali
Ona bi bila čekala	One bi bile čekale
Ono bi bilo čekalo	Ona bi bila čekala

Verbal adjective active	Male	Female	Neutral
Singular	Čekao	Čekala	Čekalo
Plural	Čekali	Čekale	Čekala

Verbal adjective passive	Male	Female	Neutral
Singular	Dočekan	Čekana	Čekano
Plural	Čekani	Čekane	Čekana

Transgressive (Present Verbal adverb)	Čekajući
Transgressive (Past Verbal adverb)	Čekavši
Verbal noun	Čekanje

Perfective aspect of the verb	Dočekati-----------	-----------
Imperfective aspect of the verb	Čekati	Cheh-kah-tee

96. To walk (Hodati) Hoh-dah-tee

Present tense (sadašnje vrijeme)	Aorist tense (Aorist)	Imperfect tense (Imperfekt)
Ja hodam	Ja hodah	Ja hodah
Ti hodaš	Ti hoda	Ti hodaše
On/ona/ono hoda	On/ona/ono hoda	On/ ona/ono hodaše
Mi hodamo	Mi hodasmo	Mi hodasmo
Vi hodate	Vi hodaste	Vi hodaste
Oni/one hodaju	Oni/one hodaše	Oni/one hodahu

Past tense (Perfekt)	Pluperfect (Pluskvamperfekat)	Future tense (Futur I)
Ja sam hodao/hodala	Ja sam biohodao/bila hodala	Ja ću hodati
Ti si hodao/hodala	Ti sibiohodao/bila hodala	Ti ćešhodati
On je hodao	On je bio hodao	On/ona/ono će hodati
Ona je hodala	Ona je bila hodala	Mi ćemo hodati
Ono je hodalo	Ono je bilo hodalo	Vi ćete hodati
Mi smo hodali	Mi smo bili hodali	Oni/one će hodati
Vi ste hodali	Vi ste bili hodali	
Oni su hodali	Oni su bili hodali	
One su hodale	One su bile hodale	

Future tense (Futur II)	Imperative (imperativ)	Conditional I (Potencijal I)
Budem hodao/hodala	-------------	Ja bih hodao/hodala
Budeš hodao/hodala	Hodaj	Ti bi hodao/hodala
Bude hodao/hodala/hodalo	------------	On bi hodao/Ona bi hodala/Ono bi hodalo
Budemo hodali	Hodajmo	Mi bismohodali
Budete hodali	Hodajte	Vi biste hodali
Budu hodali/ hodale	------------	Oni bi hodali/One bi hodale

Conditional II (Potencijal II)	
Ja bih biohodao/bila hodala	Mi bismo bili hodali
Ti bi bio hodao/bila hodala	Vi biste bili hodali
On bi bio hodao	Oni bi bili hodali
Ona bi bila hodala	One bi bile hodale
Ono bi bilo hodalo	Ona bi bila hodala

Verbal adjective active	Male	Female	Neutral
Singular	Hodao	Hodala	Hodalo
Plural	Hodali	Hodale	Hodala

Verbal adjective passive	Male	Female	Neutral
Singular	Prohodan	Hodana	Hodano
Plural	Hodani	Hodane	Hodana

Transgressive (Present Verbal adverb)	Hodajući
Transgressive (Past Verbal adverb)	Hodavši
Verbal noun	Hodanje

Perfective aspect of the verb	------------	------------
Imperfective aspect of the verb	Hodati	Hoh-dah-tee

97. To want (Htjeti) Htyeh-tee

Present tense (sadašnje vrijeme)	Aorist tense (Aorist)	Imperfect tense (Imperfekt)
Ja hoću	Ja htjedoh	Ja htijah
Ti hoćeš	Ti htjede	Ti htijaše
On/ona/ono hoću	On/ona/ono htjede	On/ ona/ono htijaše
Mi hoćemo	Mi htjedosmo	Mi htijasmo
Vi hoćete	Vi htjedoste	Vi htijaste
Oni/one hoće	Oni/one htjedoše	Oni/one htijahu
Past tense (Perfekt)	**Pluperfect (Pluskvamperfekat)**	**Future tense (Futur I)**
Ja sam htio/htjela	Ja sam biohtio/bila htjela	Ja ću htjeti
Ti si htio/htjela	Ti sibiohtio/bila htjela	Ti ćeš htjeti
On je htio	On je bio htio	On/ona/ono će htjeti
Ona htjela	Ona je bila htjela	Mi ćemo htjeti
Ono je htjelo	Ono je bilo htjelo	Vi ćete htjeti
Mi smo htjeli	Mi smo bili htjeli	Oni/one će htjeti
Vi ste htjeli	Vi ste bili htjeli	
Oni su htjeli	Oni su bili htjeli	
One su htjele	One su bile htjele	
Future tense (Futur II)	**Imperative (imperativ)**	**Conditional I (Potencijal I)**
Budem htio/htjela	------------	Ja bih htio/htjela
Budeš htio/htjela	Htjedni	Ti bi htio/htjela
Bude htio/htjela/htjelo	------------	On bi htio/Ona bi htjela /Ono bi htjelo
Budemo htjeli	Htjednimo	Mi bismo htjeli
Budete htjeli	Htjednite	Vi biste htjeli
Budu htjeli/ htjele	------------	Oni bi htjeli /One bi htjeli

Conditional II (Potencijal II)	
Ja bih biohtio/bila htjela	Mi bismo bili htjeli
Ti bi bio htio/bila htjela	Vi biste bili htjeli
On bi bio htio	Oni bi bili htjeli
Ona bi bila htjela	One bi bile htjele
Ono bi bilo htjelo	Ona bi bila htjela

Verbal adjective active	Male	Female	Neutral
Singular	Htio	Htjela	Htjelo
Plural	Htjeli	Htjele	Htjela

Verbal adjective passive	Male	Female	Neutral
Singular	------	-------	-------
Plural	------	-------	-------

Transgressive (Present Verbal adverb)	Htijući
Transgressive (Past Verbal adverb)	Htjevši
Verbal noun	Htijenje

Perfective aspect of the verb	------------	------------
Imperfective aspect of the verb	Htjeti	Htyeh-tee

98. To watch (Gledati) Gleh-dah-tee

Present tense (sadašnje vrijeme)	Aorist tense (Aorist)	Imperfect tense (Imperfekt)
Ja gledam	Ja gledah	Ja gledah
Ti gledaš	Ti gleda	Ti gledaše
On/ona/ono gleda	On/ona/ono gleda	On/ ona/ono gledaše
Mi gledamo	Mi gledasmo	Mi gledasmo
Vi gledate	Vi gledaste	Vi gledaste
Oni/one gledaju	Oni/onegledaše	Oni/one gledahu
Past tense (Perfekt)	**Pluperfect (Pluskvamperfekat)**	**Future tense (Futur I)**
Ja sam gledao/gledala	Ja sam biogledao/bila gledala	Ja ću gledati
Ti si gledao/gledala	Ti sibiogledao/bila gledala	Ti ćešgledati
On je gledao	On je bio gledao	On/ona/ono će gledati
Ona je gledala	Ona je bila gledala	Mi ćemo gledati
Ono je gledalo	Ono je bilo gledalo	Vi ćete gledati
Mi smo gledali	Mi smo bili gledali	Oni/one će gledati
Vi ste gledali	Vi ste bili gledali	
Oni su gledali	Oni su bili gledali	
One su gledale	One su bile gledale	
Future tense (Futur II)	**Imperative (imperativ)**	**Conditional I (Potencijal I)**
Budem gledao/gledala	------------	Ja bih gledao/gledala
Budeš gledao/gledala	Gledaj	Ti bi gledao/gledala
Bude gledao/gledala/gledalo	------------	On bi htio/Ona bi gledala/Ono bi gledalo
Budemo gledali	Gledajmo	Mi bismogledali
Budete gledali	Gledajte	Vi biste gledali
Budu gledali/ gledale	------------	Oni bi gledali/One bi gledale

Conditional II (Potencijal II)	
Ja bih biogledao/bila gledala	Mi bismo bili gledali
Ti bi bio gledao/bila gledala	Vi biste bili gledali
On bi bio gledao	Oni bi bili gledali
Ona bi bila gledala	One bi bile gledale
Ono bi bilo gledalo	Ona bi bila gledala

Verbal adjective active	Male	Female	Neutral
Singular	Gledao	Gledala	Gledalo
Plural	Gledali	Gledale	Gledala

Verbal adjective passive	Male	Female	Neutral
Singular	Gledan	Gledana	Gledano
Plural	Gledani	Gledane	Gledana

Transgressive (Present Verbal adverb)	Gledajući
Transgressive (Past Verbal adverb)	Gledavši
Verbal noun	Gledanje

Perfective aspect of the verb	Po+gledati	Poh + gleh-dah-tee
Imperfective aspect of the verb	Gledati	Gleh-dah-tee

99. To win (Pobijediti) Poh-bee-yeh-dee-tee

Present tense (sadašnje vrijeme)	Aorist tense (Aorist)	Imperfect tense (Imperfekt)
Ja pobijedim/pobjeđujem	Ja pobijedih	Japobjeđivah
Ti pobijediš/pobjeđuješ	Ti pobijedi	Ti pobjeđivaše
On/ona/ono pobijediš/pobjeđuje	On/ona/ono pobijedi	On/ ona/ono pobjeđivaše
Mi pobijedimo/pobjeđujemo	Mi pobijedismo	Mi pobjeđivasmo
Vipobijedite/pobjeđujete	Vi pobijediste	Vi pobjeđivaste
Oni/one pobijede/pobjeđuju	Oni/onepobijediše	Oni/one pobjeđivahu

Past tense (Perfekt)	Pluperfect (Pluskvamperfekat)	Future tense (Futur I)
Ja sam pobijedio/pobijedila	Ja sam bio pobijedio/bila pobijedila	Ja ću pobijediti
Ti si pobijedio/pobijedila	Ti si bio pobijedio/bila pobijedila	Ti ćešpobijediti
On je pobijedio	On je bio pobijedio	On/ona/ono će pobijediti
Ona je pobijedila	Ona je bila pobijedila	Mi ćemo pobijediti
Ono je pobijedilo	Ono je bilo pobijedilo	Vi ćete pobijediti
Mi smo pobijedili	Mi smo bili pobijedili	Oni/one će pobijediti
Vi ste pobijedili	Vi ste bili pobijedili	
Oni su pobijedili	Oni su bili pobijedili	
One su pobijedile	One su bile pobijedile	

Future tense (Futur II)	Imperative (imperativ)	Conditional I (Potencijal I)
Budem pobijedio/pobijedila	------------	Ja bih pobijedio/pobijedila
Budeš pobijedio/pobijedila	Pobijedi	Ti bi pobijedio/pobijedila
Bude pobijedio/pobijedila/pobijedilo	------------	On bi pobijedio /Ona bi pobijedila/Ono bi pobijedilo
Budemo pobijedili	Pobijedimo	Mi bismopobijedili
Budete pobijedili	Pobijedite	Vi biste pobijedili
Budu pobijedili/ pobijedile	------------	Oni bi pobijedili/One bi pobijedile

Conditional II (Potencijal II)	
Ja bih biopobijedio/bila pobijedila	Mi bismo bili pobijedili
Ti bi bio pobijedio/bila pobijedila	Vi biste bili pobijedili
On bi bio pobijedio	Oni bi bili pobijedili
Ona bi bila pobijedila	One bi bile pobijedile
Ono bi bilo pobijedilo	Ona bi bila pobijedila

Verbal adjective active	Male	Female	Neutral
Singular	Pobijedio	Pobijedila	Pobijedilo
Plural	Pobijedili	Pobijedile	Pobijedila

Verbal adjective passive	Male	Female	Neutral
Singular	Pobijeđen	Pobijeđena	Pobijeđeno
Plural	Pobijeđeni	Pobijeđene	Pobijeđena

Transgressive (Present Verbal adverb)	Pobjeđujući
Transgressive (Past Verbal adverb)	Pobijedivši
Verbal noun	Pobjeđivanje

Perfective aspect of the verb	Pobijediti	Poh-bee-yeh-dee-tee
Imperfective aspect of the verb	Pobjeđivati	Poh-byeh-jee-vah-tee

100. To work (Raditi) Rah-dee-tee

Present tense (sadašnje vrijeme)	Aorist tense (Aorist)	Imperfect tense (Imperfekt)
Ja radim	Ja radih	Ja rađah
Ti radiš	Ti radi	Ti rađaše
On/ona/ono radi	On/ona/ono radi	On/ ona/ono rađaše
Mi radimo	Mi radismo	Mi rađasmo
Vi radite	Vi radiste	Vi rađaste
Oni/one rade	Oni/one radiše	Oni/one rađahu

Past tense (Perfekt)	Pluperfect (Pluskvamperfekat)	Future tense (Futur I)
Ja sam radio/radila	Ja sam bio radio/bila radila	Ja ću raditi
Ti si radio/radila	Ti si bio radio/bila radila	Ti ćeš raditi
On je radio	On je bio radio	On/ona/ono će raditi
Ona je radila	Ona je bila radila	Mi ćemo raditi
Ono je radilo	Ono je bilo radilo	Vi ćete raditi
Mi smo radili	Mi smo bili radili	Oni/one će raditi
Vi ste radili	Vi ste bili radili	
Oni su radili	Oni su bili radili	
One su radile	One su bile radile	

Future tense (Futur II)	Imperative (imperativ)	Conditional I (Potencijal I)
Budem radio/radila	------------	Ja bih radio/radila
Budeš radio/radila	Radi	Ti bi radio/radila
Bude radio/radila/radilo	------------	On bi radio/Ona bi radila/Ono bi radilo
Budemo radili	Radimo	Mi bismoradili
Budete radili	Radite	Vi biste radili
Budu radili/ radile	------------	Oni bi radili/One bi radile

Conditional II (Potencijal II)	
Ja bih bio radio/bila radila	Mi bismo bili radili
Ti bi bio radio/bila radila	Vi biste bili radili
On bi bio radio	Oni bi bili radili
Ona bi bila radila	One bi bile radile
Ono bi bilo radilo	Ona bi bila radila

Verbal adjective active	Male	Female	Neutral
Singular	Radio	Radila	Radilo
Plural	Radili	Radile	Radila

Verbal adjective passive	Male	Female	Neutral
Singular	Rađen	Rađena	Rađeno
Plural	Rađeni	Rađene	Rađena

Transgressive (Present Verbal adverb)	Radeći
Transgressive (Past Verbal adverb)	Radivši
Verbal noun	Rađenje

Perfective aspect of the verb	Uraditi	Ooh-rah-dee-tee
Imperfective aspect of the verb	Raditi	Rah-dee-tee

101. To write (Pisati) Pee-sah-tee

Present tense (sadašnje vrijeme)	Aorist tense (Aorist)	Imperfect tense (Imperfekt)
Ja pišem	Ja pisah	Japisah
Ti pišeš	Ti pisa	Ti pisaše
On/ona/ono piše	On/ona/ono pisa	On/ ona/ono pisaše
Mi pišemo	Mi pisasmo	Mi pisasmo
Vipišete	Vi pisaste	Vi pisaste
Oni/one pišu	Oni/onepisaše	Oni/one pisahu

Past tense (Perfekt)	Pluperfect (Pluskvamperfekat)	Future tense (Futur I)
Ja sam pisao/pisala	Ja sam biopisao/bila pisala	Ja ću pisati
Ti si pisao/pisala	Ti sibiopisao/bila pisala	Ti ćešpisati
On je pisao	On je bio pisao	On/ona/ono će pisati
Ona je pisala	Ona je bila pisala	Mi ćemo pisati
Ono je pisalo	Ono je bilo pisalo	Vi ćete pisati
Mi smo pisali	Mi smo bili pisali	Oni/one će pisati
Vi ste pisali	Vi ste bili pisali	
Oni su pisali	Oni su bili pisali	
One su pisale	One su bile pisale	

Future tense (Futur II)	Imperative (imperativ)	Conditional I (Potencijal I)
Budem pisao/pisala	------------	Ja bih pisao/pisala
Budeš pisao/pisala	Piši	Ti bi pisao/pisala
Bude pisao/pisala/pisalo	------------	On bi pisao/Ona bi pisala/Ono bi pisalo
Budemo pisali	Pišimo	Mi bismopisali
Budete pisali	Pišite	Vi biste pisali
Budu pisali/pisale	------------	Oni bi pisali/One bi pisale

Conditional II (Potencijal II)	
Ja bih biopisao/bila pisala	Mi bismo bili pisali
Ti bi bio pisao/bila pisala	Vi biste bili pisali
On bi bio pisao	Oni bi bili pisali
Ona bi bila pisala	One bi bile pisale
Ono bi bilo pisalo	Ona bi bila pisala

Verbal adjective active	Male	Female	Neutral
Singular	Pisao	Pisala	Pisalo
Plural	Pisali	Pisale	Pisala

Verbal adjective passive	Male	Female	Neutral
Singular	Pisan	Pisana	Pisano
Plural	Pisano	Pisane	Pisana

Transgressive (Present Verbal adverb)	Pišući
Transgressive (Past Verbal adverb)	------------

Perfective aspect of the verb	Na+ pisati	Nah+ pee-sah-tee
Imperfective aspect of the verb	Pisati	Pee-sah-tee

98986429R00122